Die Verlockung des Autoritären

Anne Applebaum

DIE VERLOCKUNG DES AUTORITÄREN

Warum antidemokratische Herrschaft so populär geworden ist

Aus dem Amerikanischen
von Jürgen Neubauer

Siedler

Die Originalausgabe erschien 2020 unter dem Titel
»Twilight of Democracy. The Seductive Lure of Authoritarianism«
bei Doubleday, New York.

Penguin Random House Verlagsgruppe FSC® N001967

Erste Auflage 2021
Copyright: © Anne Applebaum
Copyright der deutschsprachigen Ausgabe: © 2021 by Siedler Verlag,
München, in der Penguin Random House Verlagsgruppe GmbH,
Neumarkter Straße 28, 81673 München
Umschlaggestaltung: FAVORITBÜRO, München
Satz: Vornehm Mediengestaltung GmbH, München
Druck und Bindung: GGP Media GmbH, Pößneck
Printed in Germany
ISBN 978-3-8275-0143-1

www.siedler-verlag.de

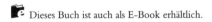 Dieses Buch ist auch als E-Book erhältlich.

Unsere Zeit wird man einst das Jahrhundert der intellektuellen Organisation des politischen Hasses nennen. Dies wird einer der großen Titel sein, unter denen sie in die Moralgeschichte der Menschheit eingeht.

JULIEN BENDA, *Der Verrat der Intellektuellen* (1927)

Wir müssen die Tatsache anerkennen, dass diese Art der Rebellion gegen die Moderne in der westlichen Gesellschaft latent vorhanden ist. Mit ihrem konfusen und wirrköpfigen Programm und ihrer irrationalen und unpolitischen Rhetorik verkörpert sie Hoffnungen, die genauso wahrhaftig sind wie die der anderen und bekannteren Reformbewegungen.

FRITZ STERN, *Kulturpessimismus als politische Gefahr* (1961)

Inhalt

Kapitel 1: Silvester 9

Kapitel 2: Wie Demagogen siegen 29

Kapitel 3: Die Zukunft der Nostalgie 61

Kapitel 4: Lügenkaskaden 109

Kapitel 5: Steppenbrand 144

Kapitel 6: Kein Ende der Geschichte 173

Dank 191

Anmerkungen 193

Register 202

Kapitel 1: Silvester

Am 31. Dezember 1999 luden wir zu einer Party ein. Das Jahrtausend ging zu Ende, ein neues brach an, und alle wollten feiern, am liebsten an einem möglichst ausgefallenen Ort. Wir feierten in Chobielin, einem kleinen Landgut im Nordwesten Polens, das mein Mann und seine Eltern ein Jahrzehnt zuvor erworben hatten; sie hatten nicht mehr dafür bezahlt als den Preis der Ziegelsteine, denn damals war es eine unbewohnbare Ruine, die vor sich hin bröckelte, seit die früheren Bewohner 1945 vor der Roten Armee geflohen waren. Wir hatten das Haus inzwischen weitgehend restauriert, auch wenn es langsam voranging. Ende 1999 war es noch lange nicht fertig, doch es hatte immerhin ein neues Dach und einen großen, frisch gestrichenen und gänzlich unmöblierten Salon, der sich bestens als Partyraum eignete.

Unsere Gäste waren bunt durcheinandergewürfelt: befreundete Journalisten aus London und Moskau, einige Jungdiplomaten aus Warschau, zwei Freunde, die aus New York herübergeflogen waren. Aber die meisten waren Polen, Freunde von uns und Kollegen meines Mannes Radek Sikorski, der damals stellvertretender Außenminister einer rechtsliberalen Koalitionsregierung war.

Dazu kamen Freunde aus der Gegend, einige von

Radeks Schulfreunden und eine große Anzahl Cousins. Auch eine Handvoll damals noch weniger bekannter polnischer Jungjournalisten waren dabei, ein paar Beamte und ein oder zwei jüngere Regierungspolitiker.

Die Mehrheit von uns hätte man wohl zu dem gezählt, was man in Polen seinerzeit »die Rechte« nannte – Konservative und Antikommunisten. Aber genauso gut hätte man die meisten von uns auch als Liberale bezeichnen können: Wirtschaftsliberale und klassische Liberale, vielleicht Thatcher-Anhänger. Selbst diejenigen, die in Wirtschaftsfragen keine dezidierte Meinung hatten, glaubten an die Demokratie, den Rechtsstaat, die Gewaltenteilung, die NATO-Mitgliedschaft Polens, den anstehenden Beitritt des Landes zur Europäischen Union und ein Polen, das fester Bestandteil des modernen Europas sein sollte. Das war es, was man in den 1990er Jahren unter »rechts« verstand.

Die Party war eine reichlich improvisierte Angelegenheit. In der polnischen Provinz war Catering damals unbekannt, weshalb meine Schwiegermutter und ich große Bottiche mit Eintopf aus Rinderragout und Roter Bete zubereiteten. Hotels gab es auch keine, sodass unsere gut hundert Gäste in Bauernhöfen der Umgebung oder bei Freunden in der nahe gelegenen Ortschaft unterkamen. Ich hatte für alle Gäste Übernachtungsmöglichkeiten organisiert, doch einige schliefen am Ende trotzdem auf dem Fußboden im Keller. Um Mitternacht brannten wir ein Feuerwerk ab – billige Ware aus China, die damals gerade erst in den Handel gekommen und wahrscheinlich extrem gefährlich war.

Die Musik, in der Prä-Spotify-Zeit noch auf Kassetten, war der einzige kulturelle Graben an jenem Abend: Meine amerikanischen Freunde hatten ihre Schulzeit über natürlich andere Musik gehört als meine polnischen Freunde, und es war schwer, alle gemeinsam zum Tanzen zu bewegen. Als ich einmal kurz nach oben ging, erfuhr ich, dass Boris Jelzin zurückgetreten war, schrieb einen kurzen Kommentar für eine britische Tageszeitung, ging dann wieder nach unten und trank noch ein Glas Wein. Gegen drei Uhr morgens zog eine der durchgeknallteren polnischen Gäste eine Pistole aus ihrer Handtasche und feuerte in ihrem Überschwang Platzpatronen in die Luft.

Wir feierten die ganze Nacht hindurch bis zu einem späten Brunch am folgenden Nachmittag. Die Party war von jenem Optimismus durchtränkt, der diese Zeit in meiner Erinnerung prägte. Wir hatten unser verfallenes Haus renoviert. Unsere Freunde bauten das Land wieder auf. Besonders gut erinnere ich mich noch, wie ich am Tag vor oder nach der Party mit Freunden im Schnee spazieren ging, alle redeten durcheinander, Polnisch und Englisch schallten durch den Birkenwald. Polen war im Begriff, sich dem Westen anzuschließen, und es schien, als säßen wir alle in einem Boot. Wir waren uns einig über die Demokratie, den Weg zum Wohlstand und die generelle Richtung.

Das ist längst vorbei. Gut zwei Jahrzehnte später würde ich die Straßenseite wechseln, um einigen der Gäste unserer damaligen Silvesterparty aus dem Weg zu gehen. Sie würden umgekehrt heute keinen Fuß mehr über meine Schwelle setzen und sich gar schämen zuzugeben, dass sie damals mit uns gefeiert haben. Die Hälfte unserer Gäste würde heute kein Wort mehr mit der anderen wechseln. Die Entfremdung ist politischer, nicht persönlicher Natur. Die Polarisierung in Polen reicht heute weiter als in den meisten anderen Gesellschaften Europas, und wir stehen auf entgegengesetzten Seiten eines tiefen Grabens, der die einstigen Konservativen Polens, aber auch Ungarns, Spaniens, Frankreichs, Italiens und zum Teil auch Großbritanniens und der Vereinigten Staaten in zwei Lager spaltet.

Ein Teil unserer Silvestergäste, wie auch mein Mann und ich, blieben dem pro-europäischen, rechtsstaatlichen und marktwirtschaftlichen Konservatismus treu. Unsere Ansichten fallen mehr oder weniger in das Spektrum der europäischen Christdemokraten, der Liberalen Frankreichs und der Niederlande oder der Republikaner von John McCain. Einige meiner damaligen Gäste zählen sich zur linken Mitte. Aber andere schlugen einen anderen Weg ein. Sie unterstützen heute eine nationalistische Partei namens Prawo i Sprawiedliwość (abgekürzt PiS, zu Deutsch: Recht und Gerechtigkeit), deren Positionen sich sehr verändert haben seit der Zeit, als sie von 2005 bis 2007 zum ersten Mal an der Regierung beteiligt war und von 2005 bis 2010 den Präsidenten stellte.

In den Jahren, in denen die PiS nicht auf der Regierungsbank saß, vollzogen ihre Führung und Anhängerschaft einen radikalen Gesinnungswandel und wurden nicht nur fremdenfeindlich und paranoid, sondern unverhohlen autoritär. Ihren Wählern muss man zugutehalten, dass das nicht für alle offensichtlich war: 2015 führte die PiS einen sehr zurückhaltenden Wahlkampf gegen eine gemäßigt konservative Partei, die seit acht Jahren im Amt war – mein Mann hatte der Regierung angehört, sich aber vor der Wahl zurückgezogen – und in ihrem letzten Jahr von einer schwachen und glanzlosen Ministerpräsidentin geführt wurde. Es ist verständlich, dass viele Polen eine Veränderung wollten.

Doch kaum hatte die PiS die Wahl 2015 mit knapper Mehrheit gewonnen, zeigte sie ihr radikales Gesicht. In einem klaren Verfassungsbruch versuchte die neue Regierung, den Obersten Gerichtshof in ihrem Sinne neu zu besetzen. Außerdem sollten Richter bestraft werden, deren Urteile im Widerspruch zur Politik der Regierung standen. Die PiS kaperte den staatlichen Rundfunk, indem sie beliebte Moderatoren und erfahrene Journalisten entließ – auch dies ein Verstoß gegen die Verfassung. Ihre Nachfolger, die vom rechten Rand der Onlinemedien kamen, sendeten auf Staatskosten platte und mit Lügen durchsetzte Parteipropaganda.

Ein weiteres Ziel waren staatliche Institutionen. Kaum an der Macht, entließ die PiS Tausende Beamte und ersetzte sie durch Parteisoldaten oder deren Vettern und sonstige Verwandte. Sie setzte Generäle an die Luft, die lange und kostspielige Ausbildungen an westlichen Militärakademien genossen hatten, und Diplomaten mit langjähriger Erfahrung und Sprachkenntnissen. Auch kulturelle Einrichtungen demontierte sie eine nach der anderen. Das Nationalmuseum verlor seinen geschäftsführenden Direktor, einen international anerkannten Kurator. An seine Stelle trat ein unbekannter Akademiker ohne jede Museumserfahrung, der in seiner ersten Amtshandlung die Abteilung für moderne und zeitgenössische Kunst schloss. Ein Jahr später trat er zurück und hinterließ das Museum im Chaos. Der Direktor des Museums der Geschichte der polnischen Juden – eine in Europa einmalige Einrichtung, die erst wenige Jahre zuvor mit einer großen Zeremonie eröffnet worden war – wurde zum Entsetzen der ausländischen Förderer und Sponsoren ohne jede Erklärung beurlaubt. Tausende ähnliche Geschichten drangen nie an die Öffentlichkeit. So verlor zum Beispiel eine Bekannte von uns eine Stelle in einer anderen Einrichtung, weil sie in zu kurzer Zeit zu viele Projekte durchgeführt hatte, womit sie für ihren neuen und unqualifizierten Vorgesetzten offenbar zur Bedrohung wurde.

Die PiS bemühte sich nicht einmal um Heuchelei. Bei diesen Veränderungen ging es nicht darum, den Staatsapparat zu optimieren, sondern ihn auf Parteilinie zu bringen und die Gerichte gefügig zu machen. Oder *der* Partei zu unterwerfen, wie wir das von früher kannten.

Dazu hatte die PiS natürlich kein Mandat. Sie war mit einer einfachen Mehrheit gewählt worden und konnte zwar regieren, nicht aber die Verfassung ändern. Um diesen Rechtsbruch zu rechtfertigen, argumentierte die Partei daher nicht mehr politisch, sondern begann damit, auf vermeintliche Erzfeinde zu deuten. Darunter waren auch die üblichen Sündenböcke. Nach zwei Jahren der polnisch-jüdischen Annäherung und Versöhnung – nach Tausenden Büchern, Filmen und Konferenzen und dem Bau eines spektakulären Museums – erlangte die Regierung traurige Berühmtheit mit einem Gesetz, das die öffentliche Debatte über den Holocaust unterdrücken sollte. Zwar wurde dieses Gesetz auf Druck der Vereinigten Staaten schließlich geändert, doch es erfreute sich großer Beliebtheit an der ideologischen Basis der Partei sowie bei Journalisten, Denkern und Autoren, darunter auch Gästen meiner Silvesterparty, die jetzt behaupten, polenfeindliche Kräfte hätten sich verschworen, um Polen statt Deutschland die Schuld für Auschwitz zu geben. Später verstrickte sich die Regierung in sinnlose Wortgefechte mit Israel – ein Streit, der nur darauf angelegt schien, die wütenden nationalistischen Wähler der PiS in Polen wie die wütenden nationalistischen Wähler Benjamin Netanjahus in Israel zu bedienen.

Andere Feinde waren neu. Nachdem die Partei kurzzeitig islamische Zuwanderer zur Zielscheibe erkoren hatte – was nicht einfach ist in einem Land, in dem es kaum islamische Zuwanderer gibt –, schoss sie sich auf Homosexuelle ein. Die Wochenzeitung *Gazeta Polska,* deren prominenteste Autoren die Jahrtausendwende mit uns gefeiert hatten, verteilte Aufkleber mit der Aufschrift »LGBT-freie Zone«, die ihre Leser an Fenster und Türen kleben sollten. Am Vorabend der Parlamentswahlen im Oktober 2019 strahlte das staatliche Fernsehen einen Dokumentarfilm mit dem Titel »Invasion« aus über einen geheimen LGBT-Plan zur Unterwanderung Polens.[1] Die katholische Kirche des Landes, einst eine neutrale Institution und unpolitisches Symbol der nationalen Einheit, begann ähnliche Themen zu verfolgen. Der aktuelle Erzbischof von Krakau, einer der Nachfolger von Papst Johannes Paul II., beschrieb Homosexuelle in einer Predigt als »regenbogenfarbene Pest«,[2] die an die Stelle der »roten Pest« des Kommunismus getreten sei. Die polnische Regierung jubelte, doch YouTube entfernte das Video, weil es sich um Hasspropaganda handele.

In der Folge dieser Ereignisse ist es für mich und einige unserer Silvestergäste schwer geworden, überhaupt noch Anknüpfungspunkte zu finden. Mein letztes Gespräch mit Ania Bielecka, früher eine meiner besten Freundinnen und Taufpatin eines meiner Kinder, war beispielsweise ihr hysterischer Anruf im April 2010, wenige Tage nachdem das Flugzeug mit dem damaligen polnischen Präsidenten in der Nähe der russischen Stadt Smolensk abgestürzt war (dazu später mehr). Bielecka ist Architektin und zählt (oder zählte) einige der renommiertesten Künstler ihrer Generation zu ihren Freunden; sie hat oder hatte ihre Freude an Ausstellungen zeitgenössischer Kunst und flog schon mal zum Spaß zur Biennale in Venedig. Einmal erzählte sie mir, genauso wie die Ausstellung selbst genieße sie es, sich die Besucher der Biennale anzusehen, die herausgeputzten Damen in ihren extravaganten Kleidern. Seit einigen Jahren ist sie allerdings mit Jarosław Kaczyński befreundet, dem Vorsitzenden der PiS und Zwillingsbruder des verstorbenen Präsidenten. Heute lädt sie Kaczyński regelmäßig zum Essen zu sich nach Hause ein – sie ist eine ausgezeichnete Köchin – und bespricht mit ihm, wen er in sein Kabinett berufen sollte. Offenbar war der Kulturminister, der hinter dem Anschlag auf die polnischen Museen steht, ihr Vorschlag. Vor ein paar Jahren fragte ich sie, ob wir uns nicht in Warschau treffen wollten, doch sie lehnte ab. »Worüber sollten wir uns denn unterhalten?«, schrieb sie in einer SMS, um danach ganz zu verstummen.

Ein weiterer Partygast – die Dame mit der Pistole – trennte sich schließlich von ihrem britischen Ehemann. Ihre Überspanntheit hat ein neues Ziel gefunden, offenbar verbreitet sie heute als hauptberuflicher Internettroll Verschwörungstheorien und antisemitische Propaganda. Sie twittert über die Schuld der Juden am Holocaust, und einmal veröffentlichte sie ein mittelalterliches englisches Gemälde, auf dem angeblich ein Junge zu sehen ist, der von Juden gekreuzigt wird; dazu der Kommentar: »Und da wunderten sie sich, dass sie vertrieben worden sind«, ein Verweis auf die Vertreibung der Juden aus England im Jahr 1290. Außerdem verbreitet sie das Gedankengut führender Köpfe der amerikanischen Alt-Right-Bewegung.

Die Journalistin Anita Gargas, noch ein Gast unserer Silvesterfeier, hat das vergangene Jahrzehnt damit zugebracht, die Verschwörungstheorien um den Flugzeugabsturz des Präsidenten Lech Kaczyński aufzuwärmen und durch immer neue zu ergänzen.[3] Sie schreibt für die *Gazeta Polska,* die Wochenzeitschrift mit den schwulenfeindlichen Aufklebern. Ein vierter Gast, Rafał Ziemkiewicz, hat sich einen Namen als unverblümter Gegner der internationalen jüdischen Gemeinschaft gemacht. Er beschimpft Juden als »schäbig« und »gierig«,[4] bezeichnet jüdische Organisationen als »Erpresser«[5] und bedauert seine frühere Unterstützung für Israel.[6] Mit seiner Hetze scheint er seine schwächelnde Karriere wieder auf Trab gebracht zu haben, denn heute tritt er regelmäßig im von der PiS kontrollierten Staatsfernsehen auf.

Einige dieser ehemaligen Freunde haben aufgrund ihrer politischen Ansichten den Kontakt zu ihren Kindern verloren. Bei manchen ist der Bruch tief. Eine meiner einstigen Bekannten, die sich zu einer Partei mit einem zutiefst homophoben Programm bekennt, hat einen schwulen Sohn. Auch das ist typisch: Der Graben verläuft quer durch Familien und zerreißt Freundschaften. Die Eltern einer Nachbarin in Chobielin hören einen regierungstreuen katholischen Radiosender namens Radio Maryja. Die Eltern wiederholen seine Mantras, und die Feinde der Regierung sind auch ihre Feinde. »Ich habe meine Mutter verloren«, sagte mir die Nachbarin. »Sie lebt in einer anderen Welt.«

An dieser Stelle sollte ich erwähnen, dass auch ich Gegenstand von Verschwörungstheorien wurde. In der ersten kurzlebigen Koalitionsregierung der PiS war mein Mann anderthalb Jahre lang Verteidigungsminister. Später brach er mit der Partei und war sieben Jahre lang Außenminister der Koalition unter Führung der konservativen Bürgerplattform Platforma Obywatelska. Im Jahr 2019 wurde er ins Europaparlament gewählt, gehört allerdings aktuell nicht zur Führung der Opposition.

Ich lebe seit 1988 in Polen, unterbrochen von langen Aufenthalten in London und Washington, schreibe historische Bücher und bin journalistisch für britische und amerikanische Zeitungen und Zeitschriften tätig. An polnischen Maßstäben gemessen bin ich eine exotische Ehefrau, doch bis 2015 weckte das eher die Neugierde als den Zorn der meisten Menschen. Direkten Antisemitismus oder offene Feindseligkeiten habe ich nie erlebt; als ich ein polnisches Kochbuch veröffentlichte, das unter anderem dem Zweck dienen sollte, im Ausland herrschende Vorurteile gegen Polen zu widerlegen, reagierten selbst polnische Köche freundlich, auch wenn sie sich vielleicht am Kopf kratzten. Aus der Politik versuchte ich mich möglichst herauszuhalten und trat im polnischen Fernsehen nur auf, um über meine Bücher zu sprechen.

Als nach dem Wahlsieg der PiS im Ausland erste negative Artikel über die Regierung erschienen, schob man mir die Schuld in die Schuhe. Auf der Titelseite der zwei regierungsfreundlichen Zeitschriften *wSieci*[7] und *Do Rzeczy*[8] (bei beiden arbeiten ehemalige Freunde) wurde ich als verdeckte jüdische Drahtzieherin einer internationalen Pressekampagne gegen Polen denunziert; eine der Zeitschriften erfand Lügen über meine Familie, um die Sache noch finsterer erscheinen zu lassen. Ähnliche Geschichten wurden in den Abendnachrichten des polnischen Fernsehens verbreitet, und man behauptete, die PiS habe mich aus einer Stelle gefeuert, die ich nie hatte.[9] Die falschen Behauptungen endeten schließlich, denn die negative ausländische Berichterstattung über Polen hatte inzwischen ein solches Ausmaß angenommen, dass unmöglich eine einzelne Person dahinterstecken konnte, selbst eine Jüdin wie ich nicht; trotzdem machen die Anschuldigungen natürlich bis heute in den sozialen Medien hin und wieder die Runde. Während des Europawahlkampfs meines Mannes erhielten einige seiner Wahlkampfhelfer mehr Fragen zu meinen angeblichen »anti-polnischen Aktivitäten« als zu ihm selbst. Ob es mir gefällt oder nicht, ich bin Teil dieser Geschichte.

Es war wie ein Déjà-vu. Ich fühlte mich an das Tagebuch des rumänischen Schriftstellers Mihail Sebastian erinnert, das dieser zwischen 1935 und 1944 führte und in dem er noch weit extremere Veränderungen in seinem Land beschrieb. Sebastian war wie ich Jude, wenngleich er seinen Glauben nicht praktizierte; wie ich kamen seine Freunde überwiegend aus einem konservativen Umfeld. In seinem Tagebuch beschreibt er, wie diese Freunde einer nach dem anderen in den Bannkreis des Faschismus gezogen werden wie Motten in eine Flamme. Er schildert, wie seine Freunde immer selbstbewusster und arroganter auftreten, als sie sich von ihrer europäischen Identität – der Bewunderung für Proust oder Paris – abwenden und in Blut-und-Boden-Rumänen verwandeln. Er beobachtet sie dabei, wie sie in Verschwörungstheorien abdriften oder beiläufige Grausamkeiten an den Tag legen.

Langjährige Freunde beleidigten ihn offen und taten dann so, als sei nichts geschehen. »Kann man denn mit Menschen befreundet sein, die eine Vielzahl abstruser Gedanken und Gefühle gemein haben – so abstrus, dass ich nur den Raum betreten muss, damit sie plötzlich in betretenes Schweigen verfallen?«, fragte er sich 1937.[10] In einem autobiografischen Roman, den er zur selben Zeit schrieb, bietet der Erzähler einem alten Bekannten die Freundschaft an, von dem er inzwischen durch einen politischen Graben getrennt ist. »Du irrst dich«, erwidert der andere. »Wir

können keine Freunde sein. Nie und nimmer. Spürst du an
mir nicht den Geruch des Bodens?«[11]

Wir leben zwar nicht im Jahr 1937, doch auch heute
finden vergleichbare Umwälzungen statt, und zwar sowohl
unter den Denkern, Autoren, Journalisten und politischen
Aktivisten Polens, wo ich seit drei Jahrzehnten lebe, als auch
im Rest dessen, was wir als den Westen bezeichnen. Diese
Umwälzungen ereignen sich ohne den Vorwand einer
Wirtschaftskrise, wie sie Europa und die Vereinigten Staaten in den 1920er und 1930er Jahren erfasste. Die Rezes-
sion von 2008 und 2009 war zwar tief, doch das Wachstum
kehrte zurück, zumindest bis zur Corona-Pandemie. Auch
die Flüchtlingskrise der Jahre 2015 und 2016 war zwar ein
Schock, doch sie ist längst abgeebbt, und dank des Türkei-
Deals seitens der EU und ihres politischen Mainstreams
kommen seit 2018 kaum noch Flüchtlinge aus dem Nahen
Osten und Nordafrika nach Europa.

Doch die Menschen, die ich in diesem Buch beschreibe,
waren von diesen beiden Krisen ohnehin nicht betroffen.
Sie mögen nicht alle den Erfolg gehabt haben, den sie
sich erträumt hatten, doch sie sind weder arm, noch leben
sie auf dem Land. Sie haben ihre Arbeitsplätze nicht an
Zuwanderer verloren. Die Osteuropäer waren nicht Opfer
der politischen Revolution nach 1989 oder irgendeiner
anderen Politik. Die Westeuropäer gehören keiner verarm-
ten Unterschicht an und leben nicht in vergessenen Dör-
fern. Und die Amerikaner leben nicht in von der Opioid-
Epidemie heimgesuchten Gemeinden, sie sitzen nicht in
Diners des Mittleren Westens herum und entsprechen auch
sonst keinem der üblichen Klischees, mit denen Trump-
Wähler gern bedacht werden. Im Gegenteil, sie haben an
den besten Hochschulen studiert, sprechen Fremdsprachen,

leben in Großstädten wie London, Washington, Warschau oder Madrid und reisen ins Ausland, genau wie Sebastians Freunde in den 1930ern.

Was steckt dann hinter diesem Umbruch? Haben einige unserer Freunde im stillen Kämmerchen schon immer eine autoritäre Gesinnung gepflegt? Oder haben die Leute, mit denen wir auf das neue Jahrtausend angestoßen haben, in den folgenden zwei Jahrzehnten eine sonderbare Verwandlung durchgemacht?

Darauf gibt es keine einfachen Antworten, und ich werde auf den folgenden Seiten weder eine große Theorie noch eine allgemeingültige Lösung anbieten. Dennoch gibt es so etwas wie einen roten Faden: Unter den passenden Bedingungen kann sich jede Gesellschaft von der Demokratie abwenden. Und wenn man überhaupt etwas aus der Geschichte lernen kann, dann vielleicht, dass alle unsere Gesellschaften dies früher oder später tun werden.

*

Die antiken Philosophen hatten ihre Zweifel an der Demokratie. Platon fürchtete »falsche Sätze und hoffärtige Meinungen« der Demagogen und sah in der Volksherrschaft einen möglichen Schritt auf dem Weg zur Tyrannei.[12] Vorkämpfer der amerikanischen Republik erkannten die Gefahr, die korrupte Politiker für die Demokratie darstellen konnten, und dachten gründlich darüber nach, wie Institutionen auszusehen hatten, die dem standhalten. Der Verfassungskongress des Jahres 1787 richtete das Wahlmännergremium ein, um sicherzustellen, dass niemals ein Mann »mit einem Talent für billige Intrige und die Taschenspielereien der Popularität« Präsident der Vereinigten Staaten werden konnte, wie Alexander Hamilton es ausdrückte.[13] Das Gremium wurde zwar später zum Inbegriff einer überflüssigen Einrichtung – und seit Kurzem auch zum Mechanismus, der kleinen Wählergruppen in einigen Bundesstaaten unverhältnismäßig großes Gewicht verleiht –, doch ursprünglich hatte es einen ganz anderen Zweck: Es sollte eine Art Aufsichtsrat sein, eine Gruppe elitärer Abgeordneter und Großgrundbesitzer, die den Präsidenten wählten und sich dabei nötigenfalls über den Volkswillen hinwegsetzten, um »den Auswüchsen der Demokratie« vorzubeugen.

Hamilton war einer von vielen Amerikanern der britischen Kolonialzeit, die sich in die Geschichte Griechenlands und Roms vertieften, um zu verstehen, wie sich der Verfall einer neuen Demokratie in eine Tyrannei verhindern ließ. John Adams beschäftigte sich auf seine alten Tage noch einmal mit dem römischen Staatsmann Cicero, der den Niedergang der Republik aufhalten wollte, und zitierte ihn in einem Brief an Thomas Jefferson. Diese Männer wollten ihre Demokratie auf dem Fundament von rationaler Debatte, Vernunft und Kompromiss errichten. Dabei gaben sie sich keinerlei Illusionen über die menschliche Natur hin: Sie wussten, dass der Mensch von seinen »Leidenschaften« fortgerissen werden kann, um ihren altmodischen Ausdruck zu gebrauchen. Sie wussten auch, dass jedes auf Logik und Rationalität aufgebaute System durch Ausbrüche des Irrationalen bedroht ist.

Ihre modernen Nachfolger haben versucht, diese Irrationalität und diese »Leidenschaften« schärfer zu fassen und zu verstehen, wer aus welchem Grund besonders für Demagogen anfällig ist. Die Philosophin Hannah Arendt, die sich als Erste mit Totalitarismus auseinandersetzte, beschrieb die »totalitäre Persönlichkeit« als radikal isolierte Menschen,

»deren Bindung weder an die Familie noch an Freunde, Kameraden oder Bekannte einen gesicherten Platz in der Welt garantiert. Dass es überhaupt auf der Welt ist und in ihr einen Platz einnimmt, hängt für ein Mitglied der totalitären Bewegung ausschließlich von seiner Mitgliedschaft in der Partei und der Funktion ab, die sie ihm zugeschrieben hat.«[14] Theodor W. Adorno, der vor den Nationalsozialisten in die Vereinigten Staaten geflohen war, vertiefte diesen Gedanken weiter. Unter dem Einfluss von Sigmund Freud suchte er die Ursprünge der autoritären Persönlichkeit in der frühen Jugend, etwa gar in unterdrückten homosexuellen Neigungen.

Unlängst behauptete die Verhaltensökonomin Karen Stenner, die sich seit zwei Jahrzehnten mit der Persönlichkeitsforschung beschäftigt, dass rund ein Drittel der Bevölkerung jedes beliebigen Landes eine autoritäre Veranlagung habe; diesen Begriff zieht sie dem der Persönlichkeit vor, weil er weniger starr ist.[15] Die autoritäre Veranlagung sehnt sich nach Homogenität und Ordnung und kann latent vorhanden sein, ohne sich äußern zu müssen, genau wie ihr Gegenteil, die freiheitliche Veranlagung, die Vielfalt und Unterschiede bevorzugt. Stenners Definition von »Autoritarismus« ist nicht politisch und nicht deckungsgleich mit »konservativ«. Autoritarismus spricht vielmehr Menschen an, die keine Komplexität aushalten: Diese Veranlagung ist weder »links« noch »rechts«, sondern grundsätzlich anti-pluralistisch. Sie misstraut Menschen mit anderen Vorstellungen und ist allergisch gegen offen ausgetragene Meinungsverschiedenheiten. Dabei ist es einerlei, ob ihre politischen Ansichten zum Beispiel marxistisch oder nationalistisch sind. Es handelt sich um eine Geisteshaltung, nicht um einen gedanklichen Inhalt.

Theorien wie diese übersehen allerdings oft ein weiteres entscheidendes Element beim Niedergang der Demokratie und dem Aufkommen der Autokratie. Die bloße Existenz von Menschen mit einer Schwäche für Demagogen oder Diktaturen ist noch keine Erklärung für den Erfolg der Demagogen. Diktatoren wollen herrschen, doch wie erreichen sie den empfänglichen Teil der Öffentlichkeit? Autoritäre Politiker wollen Gerichte unterwandern, um sich selbst mehr Macht zu verschaffen, aber wie überzeugen sie die Wähler davon, diese Veränderung zu akzeptieren? Im alten Rom ließ Caesar mannigfaltige Büsten von sich anfertigen. Autokraten von heute beauftragen die modernen Pendants der alten Bildhauer: Autoren, Intellektuelle, Pamphletschreiber, Blogger, Meinungsmacher, Fernsehproduzenten und Memeschöpfer, die der Öffentlichkeit ihr Bild verkaufen. Autokraten brauchen Leute, die Unruhen anzetteln und die Machtübernahme vorbereiten. Aber daneben brauchen sie auch Leute, die den Jargon der Juristen beherrschen und Rechts- und Verfassungsbruch als Gebot der Stunde verkaufen können. Sie brauchen Leute, die Missstände in Worte fassen, Unzufriedenheit manipulieren, Wut und Angst schüren und Zukunftsvisionen entwerfen können. Sie benötigen mit anderen Worten Angehörige der Bildungselite, die ihnen helfen, einen Krieg gegen die übrigen Angehörigen der Bildungselite vom Zaun zu brechen, selbst wenn es sich dabei um ihre Kommilitonen, Kollegen und Freunde handelt.

Der französische Essayist Julien Benda beschrieb die autoritären Eliten schon 1927 in seinem Buch *La trahison des clercs* (*Der Verrat der Intellektuellen*), lange bevor irgendjemand sonst verstand, welch wichtige Rolle ihnen zukam.[16] Im Vorgriff auf Arendt galt sein Interesse nicht der »totalitären Persönlichkeit« als solcher, sondern den geistigen Wegbereitern des Autoritarismus, den er bereits auf der Linken und Rechten in ganz Europa aufkeimen sah. Er beschrieb die Schreiberlinge der extremen Linken und Rechten, die »Klassenleidenschaften« im Sinne des Sowjetmarxismus oder »nationale Leidenschaften« im Sinne des Faschismus schürten, und warf beiden vor, ihre eigentliche Aufgabe als geistige Elite zu verraten, nämlich die Wahrheitssuche, und sich stattdessen für bestimmte politische Interessen herzugeben. Für sie verwendete er den ironischen Begriff *clercs,* der neben »Schreiber« auch »Kleriker« bedeutet. Zehn Jahre vor Stalins Großem Terror und sechs Jahre vor der Machtergreifung Hitlers fürchtete Benda bereits, dass zu Politunternehmern und Propagandisten gemauserte Autoren, Journalisten und Essayisten ganze Kulturen zu Gewaltausbrüchen aufstacheln würden. Und so sollte es dann auch kommen.

Natürlich würde sich der Niedergang der freiheitlichen Demokratie heute anders gestalten als in den 1920er und 1930er Jahren. Aber wieder wird eine geistige Elite, eine neue Generation von *clercs,* gebraucht, um ihm den Weg zu bereiten. Um eine Vorstellung vom Westen oder dessen, was manchmal als »freiheitliche westliche Ordnung« bezeichnet wird, zum Einsturz zu bringen, sind Denker, Intellektuelle, Journalisten, Blogger, Schriftsteller und Künstler nötig, die erst unsere Werte aushöhlen und dann ein künftiges System entwerfen. Sie können aus ganz unterschiedlichen Richtungen kommen: In seiner Definition der *clercs* dachte Benda an linke Ideologen genauso wie an rechte. Beide gibt es nach wie vor. Autoritäre Befindlichkeiten machen sich zum Beispiel bemerkbar, wenn linke Agitatoren an den Universitäten den Professoren diktieren wollen, was sie zu lehren, und den Studierenden, was sie zu denken haben. Sie machen sich bemerkbar, wenn Scharfmacher auf Twittermobs es darauf anlegen, Figuren des öffentlichen Lebens oder gewöhnliche Bürger niederzumachen, weil sie gegen ungeschriebene Sprachregelungen verstoßen. Sie machten sich bemerkbar, als intellektuelle Spindoktoren der britischen Labour Party jede Kritik an Jeremy Corbyns Führung unterdrückten, selbst als längst klar war, dass dessen ultralinke Agenda im Land auf Ablehnung stieß, und sie machte sich bemerkbar unter Labour-Aktivisten, die den Antisemitismus innerhalb der Partei erst leugneten und dann kleinredeten.

Doch obwohl die kulturelle Macht der autoritären Linken zunimmt, befinden sich die einzigen modernen Intellektuellen, die in westlichen Demokratien echte politische Macht erlangt haben – die einzigen, die an Kabinettstischen sitzen, an Regierungskoalitionen beteiligt sind und wichtige politische Parteien führen –, auf der Seite, die wir für gewöhnlich als »rechts« bezeichnen. Es handelt sich allerdings um eine besondere Ausprägung der Rechten, die wenig gemein haben mit den politischen Bewegungen, die man in der Zeit nach dem Zweiten Weltkrieg unter dieser Bezeichnung zusammenfasste. Die alte Rechte – britische Tories, amerikanische Republikaner, osteuropäische Antikommunisten, deutsche Christdemokraten und französische Gaullisten – hat zwar jeweils eigene Wurzeln, doch als Gruppe bekannten sie sich zumindest bis vor Kurzem nicht nur zur repräsentativen Demokratie, sondern auch zur Glaubensfreiheit, zur Unabhängigkeit der Justiz, zur Presse- und Meinungsfreiheit, zur wirtschaftlichen Integration, zu internationalen Organisationen, zum transatlantischen Bündnis und zur politischen Idee des »Westens«.

Im Gegensatz dazu ist die neue Rechte nicht konservativ und will nichts vom Bestehenden bewahren. In Kontinentaleuropa verachtet sie die Christdemokraten, die zusammen mit ihrer kirchlichen Basis nach dem Albtraum des Zweiten Weltkriegs die Europäische Union aus der Taufe hoben. In den Vereinigten Staaten und Großbritannien hat die neue Rechte mit dem altmodischen Konservatismus Burke'scher Prägung gebrochen, der raschen Veränderungen jeglicher Art misstraut. Sosehr die neuen Rechten die Bolschewiken hassen mögen, haben sie mehr mit ihnen gemein als mit den Konservativen: Sie wollen bestehende Einrichtungen stürzen, umgehen oder aushöhlen und alles Bestehende zerschlagen.

In diesem Buch beschreibe ich diese neue Generation von *clercs* und die neue Realität, die sie schaffen. Beginnen werde ich bei einigen, die ich in Osteuropa kenne, um dann eine andere, aber parallele Geschichte in Großbritannien zu erzählen, wohin ich enge Bindungen habe, und mit den Vereinigten Staaten zu enden, wo ich geboren wurde, mit einigen Zwischenstationen in anderen Ländern. Zu den hier beschriebenen Menschen gehören nationalistische Ideologen genauso wie hochgesinnte politische Essayisten; die einen verfassen anspruchsvolle Bücher, andere lancieren Verschwörungstheorien im Internet. Einige werden von derselben Sorge, Wut und Harmoniesucht angetrieben, die auch ihre Leser und Follower beschäftigen. Ein Teil wurde durch Auseinandersetzungen mit der kulturellen Linken radikalisiert oder von der Schwäche der liberalen Mitte abgestoßen. Andere sind Zyniker und bedienen sich einer radikalen und autoritären Rhetorik, weil sie sich davon Macht und Anerkennung erhoffen. Es gibt Apokalyptiker, die überzeugt sind, dass ihre Gesellschaft dem

Untergang geweiht ist und gerettet werden muss, egal, wie das Ergebnis aussieht. Einige sind zutiefst religiös. Manche genießen das Chaos und wollen es herbeiführen, um der Gesellschaft eine neue Ordnung aufzuzwingen. Sie alle versuchen ihre Nationen umzudefinieren, Sozialverträge umzuschreiben und manchmal auch die demokratischen Regeln zu ändern, sodass sie nie die Macht verlieren. Alexander Hamilton warnte vor ihnen, Cicero bekämpfte sie. Einige dieser Menschen waren einmal meine Freunde.

Kapitel 2: **Wie Demagogen siegen**

Monarchie, Tyrannei, Oligarchie, Demokratie – diese Herrschaftsformen kannten schon Platon und Aristoteles vor über zwei Jahrtausenden. Doch der nicht freiheitliche Einparteienstaat, wie wir ihn heute von China über Venezuela bis nach Zimbabwe überall auf der Welt finden, wurde erst 1917 von Lenin in Russland erfunden. In den Politologielehrbüchern der Zukunft wird man sich an den Gründer der Sowjetunion nicht nur als Marxisten erinnern, sondern auch als Erfinder einer bleibenden politischen Organisationsform. In seine Fußstapfen treten viele der Autokraten von heute.

Im Gegensatz zum Marxismus ist die illiberale Einparteienherrschaft keine Philosophie. Sie ist ein Mechanismus des Machterhalts und verträgt sich mit vielen Ideologien. Sie funktioniert, weil sie zweifelsfrei definiert, wer der Elite angehört – der politischen Elite, der kulturellen Elite, der finanziellen Elite. In den vorrevolutionären Monarchien Russlands und Frankreichs fiel das Recht zur Herrschaft der Aristokratie zu, die sich über strenge Regeln der Heirat und Etikette definierte. In modernen westlichen Demokratien wird dieses Recht zumindest theoretisch in verschiedenen Formen von Wettbewerb vergeben: im politischen Wettstreit und in Wahlen, Leistungstests, die über den Zugang zur höheren Bildung und zum Beamtentum entscheiden, freien Märkten. In der Regel bleiben Überreste alter gesellschaftlicher Hierarchien erhalten, doch in Ländern wie Großbritannien, den Vereinigten Staaten, Deutschland und bis vor Kurzem auch in Polen ging man zumeist davon aus, dass der demokratische Wettbewerb die gerechteste und effizienteste Methode zur Verteilung der Macht ist. Diejenigen Politiker sollten regieren, die am kompetentesten sind und die meisten Menschen ansprechen. In den staatlichen Institutionen – dem Justizsystem und dem Beamtentum – sollten die Qualifiziertesten beschäftigt sein. Die Bedingungen des Wettbewerbs sollten für alle Bewerber möglichst gleich sein, um ein faires Ergebnis zu gewährleisten.

Lenins Einparteienstaat basierte auf anderen Werten. Er stürzte die aristokratische Ordnung, ersetzte sie aber nicht durch ein Wettbewerbsmodell. Der bolschewistische Einparteienstaat war nicht nur undemokratisch, sondern er lehnte auch Wettbewerb und Leistung ab. Studienplätze, Beamtenstellen und Positionen in Regierung und Industrie wurden nicht an die Fleißigsten und Fähigsten vergeben, sondern an die Treuesten. Man kam nicht aufgrund von Talent oder Einsatz voran, sondern weil man sich an die Vorgaben der Partei hielt. Diese Vorgaben konnten sich zwar verändern, doch in entscheidenden Punkten blieben sie konstant: Die frühere Herrschaftselite und ihre Kinder sowie verdächtige ethnische Gruppierungen wurden ausgeschlossen. Die Kinder der Arbeiterklasse wurden bevorzugt. Und vor allem wurden diejenigen vorgezogen, die ihren Glauben an die Partei besonders lautstark verkündeten und an Parteiveranstaltungen und öffentlichen Jubelfeiern teilnahmen. Anders als die üblichen Oligarchien ermöglicht der Einparteienstaat den Aufstieg: Wahre Gläubige kommen nach oben, und das ist besonders für diejenigen attraktiv, die unter dem früheren Regime nichts wurden. Arendt bemerkte schon in den 1940ern, dass der Totalitarismus vor allem die Gekränkten und Erfolglosen anzieht; die schlimmsten Einparteienstaaten seien diejenigen, die »unerbittlich alle Talente und Begabungen ohne Rücksicht auf etwaige Sympathien durch Scharlatane und Narren ersetzen; ihre Dummheit und ihr Mangel an Einfällen sind so lange die beste Bürgschaft für die Sicherheit des Regimes, als dieses noch nicht seine eigene Funktionärsschicht herangezogen hat«.[17]

Lenins Verachtung für die Vorstellung von einem neutralen Staat, einer unpolitischen Beamtenschaft und neutralen Medien war ebenfalls ein wichtiger Bestandteil seines Einparteiensystems. Die Pressefreiheit bezeichnete er als »Täuschung«[18] und die Versammlungsfreiheit als »leeres Gerede«[19]. Die parlamentarische Demokratie war für ihn nichts als eine »Maschinerie zur Unterdrückung der Arbeiterklasse«.[20] In der Vorstellungswelt der Bolschewiken konnten die Presse nur frei und staatliche Institutionen nur fair sein, wenn sie der Kontrolle der Arbeiterklasse oder genauer gesagt der Partei unterstanden.

Die Verachtung der extremen Linken für die leistungsorientierten Institutionen von »bourgeoiser Demokratie« und Kapitalismus, ihr Zynismus gegenüber der bloßen Möglichkeit von Objektivität in den Medien, dem Beamtentum oder der Justiz hatten schon lange ihr Gegenstück aufseiten der extremen Rechten. Als Beispiel wird gemeinhin das nationalsozialistische Deutschland genannt, doch es gibt viele weitere, von Francos Spanien bis Pinochets Chile. Das Apartheidregime von Südafrika war de facto ein Einparteienstaat, der mithilfe von Presse und Justiz Schwarze vom politischen Leben ausschloss und die Interessen der

»Afrikaaner« förderte, weißer Südafrikaner als Nachfahren zumeist niederländischer Siedler, die in der kapitalistischen Wirtschaft des britischen Weltreichs keinen Erfolg gehabt hatten.

Zwar gab es im Südafrika der Apartheid auch andere Parteien, doch ein Einparteienstaat ist nicht unbedingt ein Staat, der gar keine Oppositionsparteien zulässt. Lenins Kommunisten und Hitlers Nationalsozialisten verhafteten und ermordeten zwar ihre Gegner, doch es gibt zahlreiche Beispiele selbst für extreme Einparteienstaaten, die in gewissem Maße eine Opposition zulassen, und sei es nur, um den Schein zu wahren. Viele der Mitgliedstaaten des Warschauer Pakts ließen zwischen 1945 und 1989 sogenannte Blockparteien zu – Bauernparteien, Pseudo-Christdemokraten oder im Falle Polens eine kleine katholische Partei –, die im Staat, in den manipulierten Parlamenten und im öffentlichen Leben eine untergeordnete Rolle spielen durften. Auch aus jüngerer Zeit gibt es viele Beispiele, von Tunesien unter Ben Ali bis Venezuela unter Hugo Chávez, wie de facto eine Partei die staatlichen Institutionen kontrollierte und Versammlungs- und Pressefreiheit einschränkte, aber eine symbolische Opposition zuließ, solange diese die Herrschaft der Partei nicht ernsthaft in Gefahr brachte.

In solch einer weichen Diktatur erfordert der Machterhalt keine massive Gewalt. Sie stützt sich vielmehr auf Elitekader, die Behörden, Medien, Gerichte und mancherorts auch staatliche Unternehmen leiten. Die Aufgabe dieser modernen *clercs* besteht darin, die Führung zu schützen, egal wie verlogen ihre Aussagen, wie dreist ihre Korruption und wie verheerend ihre Herrschaft für Bürger und Staat auch sein mögen. Als Dank dafür dürfen sie mit Belohnung und Beförderung rechnen. Enge Verbündete des Parteiführers können sehr reich werden, sie bekommen lukrative Aufträge oder Positionen im Aufsichtsrat staatlicher Unternehmen, ohne mit anderen konkurrieren zu müssen. Andere beziehen staatliche Gehälter und können sich darauf verlassen, vor Anschuldigungen der Korruption und Inkompetenz sicher zu sein. Wie miserabel ihre Leistung auch immer sein mag, sie werden nicht entlassen.

Den nicht freiheitlichen Einparteienstaat gibt es heute in unterschiedlichen Spielarten auf der ganzen Welt, von Putins Russland bis zu Dutertes Philippinen. In Europa gibt es viele illiberale Parteien, die zum Teil sogar in Regierungskoalitionen beteiligt waren, etwa in Italien oder Österreich. Aktuell haben nur zwei dieser nicht freiheitlichen Parteien das Machtmonopol in ihrem Staat: die PiS in Polen und Viktor Orbáns Fidesz in Ungarn. Beide haben weitreichende Schritte zur Zerschlagung unabhängiger staatlicher Institutionen unternommen, und beide haben ihre Getreuen mit Begünstigungen überhäuft. Die PiS änderte nicht nur das Beamtengesetz, um die Entlassung von Berufsbeamten und die Einstellung von Parteifunktionären zu erleichtern, sondern sie hat auch die Leiter von staatlichen Unternehmen entlassen. Führungskräfte mit Erfahrung in Großunternehmen wurden durch Parteimitglieder und deren Freunde und Verwandte ersetzt. Ein typisches Beispiel ist Janina Goss, eine passionierte Marmeladenköchin und alte Freundin von Kaczyński, die dem Ministerpräsidenten einst eine erhebliche Summe geliehen hatte, damit dieser eine Operation seiner Mutter bezahlen konnte. Früher hatte sie in der Partei ein paar unbedeutende Pöstchen gehabt, nun wurde sie in den Aufsichtsrat der Polska Grupa Energetyczna berufen, des größten Energiekonzerns Polens mit 40 000 Beschäftigten. In Ungarn ist Viktor Orbáns Schwiegersohn ähnlich reich und privilegiert geworden; ihm wurde vorgeworfen, Gelder der Europäischen Union abgezweigt zu haben, doch der ungarische Staat stellte die Ermittlungen ein.

Für dieses Verhalten gibt es viele Bezeichnungen: Vetternwirtschaft, Kaperung des Staats, Korruption. Wer das möchte, kann es natürlich auch positiv sehen: Es ist das Ende der verhassten Leistungsgesellschaft, des politischen Wettbewerbs und der Marktwirtschaft, die den weniger Erfolgreichen definitionsgemäß nie genützt haben. Ein manipuliertes und wettbewerbsfeindliches System ist nur dann schlecht, wenn man in einer Gesellschaft leben möchte, die von den Kompetentesten regiert wird. Aber wem daran nicht sonderlich gelegen ist, der wird kaum etwas einzuwenden haben.

Wenn man wie viele meiner ehemaligen Freunde glaubt, dass Polen besser gedient ist, wenn es von Menschen regiert wird, die bestimmte patriotische Formeln krakeelen, dem Parteiführer ergeben und, wie Kaczyński sagt, »bessere Polen«[21] sind, dann ist der Einparteienstaat tatsächlich fairer als der demokratische Wettstreit. Warum sollten verschiedene Parteien unter gleichen Bedingungen konkurrieren dürfen, wenn nur eine die Macht verdient hat? Warum sollten Unternehmen auf einem freien Markt konkurrieren dürfen, wenn nur einige von ihnen der Partei treu ergeben sind und damit den Wohlstand verdient haben?

In Polen, Ungarn und vielen anderen ehemals kommunistischen Staaten mag das Gerede vom unfairen Wettbewerb auf fruchtbareren Boden fallen, weil durch die Einführung der Marktwirtschaft und die umfassende Privatisierung der Wirtschaft in den 1990er Jahren zu viele ehemalige Kommunisten in wirtschaftlich wichtige Positionen aufstiegen. Sowohl Orbán als auch Kaczyński beschreiben ihre Gegner oftmals als »Kommunisten« und erhalten dafür noch Applaus aus dem Ausland. Zu Beginn von Orbáns Laufbahn waren die Gegner tatsächlich die einstigen Kommunisten, die sich nunmehr »Sozialisten« nannten, sodass seine Selbstdarstellung eine gewisse Zugkraft hat.

Doch sowohl in Polen als auch in Ungarn ist der Appell an den »Antikommunismus«, der vor einem Vierteljahrhundert solche Wirkung hatte, inzwischen fadenscheinig geworden. Spätestens seit 2005 hatte Polen nur noch Präsidenten und Ministerpräsidenten, deren politische Laufbahn in der antikommunistischen Gewerkschaftsbewegung begann. Kaczyńskis eigentliche politische Gegner sind die Liberalen der rechten Mitte, nicht die Linken. In Polen gibt es auch kein mächtiges ehemals kommunistisches Wirtschaftsmonopol, zumindest nicht auf landesweiter Ebene, wo viele Menschen ohne besondere politische Beziehungen zu wirtschaftlichem Erfolg gekommen sind. Der prominenteste Exkommunist in der polnischen Politik ist heute Stanisław Piotrowicz, der zur Zeit des Kriegsrechts Staatsanwalt war und von der PiS zum Verfassungsrichter ernannt wurde. Es ist nicht weiter verwunderlich, dass er ein Gegner der unabhängigen Justiz ist. Auch Orbán vergibt regelmäßig wichtige Posten an ehemalige Kommunisten. Der »Antikommunismus« beider Regierungen ist reine Heuchelei.

Doch die finsteren Warnungen vor dem Einfluss des »Kommunismus« haben für die rechten Ideologen meiner Generation nichts an Schlagkraft eingebüßt. Für einige ist es eine Erklärung für ihr persönliches Scheitern oder Pech. Nicht jeder, der in den 1970er Jahren Dissident war, konnte nach 1989 Ministerpräsident, Bestsellerautor oder renommierter Vordenker werden, und bei vielen schürt dies

schwelende Ressentiments. Wer glaubt, er habe einen Platz
an den Schalthebeln der Macht verdient, spürt oft ein star-
kes Bedürfnis, Eliten zu attackieren, Gerichte mit Gesin-
nungsgenossen zu besetzen und die Presse zu manipulieren,
um seine Ziele zu erreichen. Ressentiments, Neid und vor
allem das Gefühl, dass das »System« unfair ist – nicht nur
dem Land, sondern auch ihnen gegenüber –, sind unter
den nationalistischen Ideologen der polnischen Rechten so
verbreitet, dass es schwerfällt, ihre persönlichen von ihren
politischen Motiven zu trennen.

Ein Beispiel ist Jacek Kurski, Direktor des staatlichen
polnischen Fernsehens und Chefideologe des angehenden
Einparteienstaats. Seine Laufbahn begann am selben Ort
und zur selben Zeit wie die seines Bruders Jarosław Kurski, der heute stellvertretender Chefredakteur von *Gazeta
Wyborcza* ist, Polens größter und einflussreichster liberaler
Tageszeitung. Trotz ihrer gemeinsamen Wurzeln könnten
ihre Vorstellungen von Polen unterschiedlicher kaum sein.
Die beiden sind die zwei Seiten der polnischen Münze.

*

Um die Kurski-Brüder zu verstehen, muss man sich ihre
Herkunft ansehen. Beide kamen in der Hafenstadt Danzig
an der Ostsee zur Welt, wo sich Schiffskräne wie riesige
Störche über die alten hanseatischen Straßenfassaden beu-
gen. Hier, in dieser antikommunistischen Drehscheibe und
zugleich einer von Intrigen und Langweile beherrschten
heruntergekommenen Provinzstadt, wurden die Kurskis
Anfang der 1980er Jahre politisch erwachsen.

Die Familie hatte zu diesem besonderen Zeitpunkt eine
herausgehobene Stellung in der Stadt. Die Mutter Anna

Kurska war Anwältin und Richterin und in der Gewerkschaftsbewegung Solidarność aktiv, die damals die wichtigste Opposition des Landes war. Ihre Wohnung war ein
Taubenschlag, Menschen gingen ein und aus, um drän-
gende juristische Fragen zu besprechen oder Rat einzuho-
len. Sie blieben, unterhielten sich, tranken Tee, rauchten,
tranken mehr Tee und unterhielten sich weiter. Niemand
meldete sich vorher an; im Danzig der 1980er Jahre hatte
kaum jemand ein Telefon, und wer eines hatte, musste
befürchten, dass es abgehört wurde.

Auch Annas Söhne wurden Aktivisten. Senator Bogdan
Borusewicz, seinerzeit einer der wichtigsten Untergrund-
gewerkschafter, erzählte mir, ihre Schule sei damals weithin
bekannt gewesen als *zrewoltowane,* als rebellisch und anti-
kommunistisch. Jarosław war Abgeordneter seiner Klasse
im Schulparlament, einer Initiative der Opposition; außerdem gehörte er einer Gruppe an, die konservative polnische Philosophen und Literaten las. Der etwas jüngere Jacek
war weniger am intellektuellen Kampf gegen den Kommunismus interessiert. Er verstand sich eher als Aktivist und
Radikaler. Nach der Verhängung des Kriegsrechts Ende
1981, mit dem die kurze legale Existenz von Solidarność
endete, gingen die Brüder zu Demonstrationen, riefen
Parolen und schwenkten Fahnen. Beide schrieben für die
illegale Schülerzeitung und später für *Solidarność,* die illegale Oppositionszeitung der Gewerkschaft.

Im Oktober 1989 wurde Jarosław Pressesprecher von
Lech Wałęsa, dem Vorsitzenden der Solidarność, der nach
der Wahl der ersten nicht kommunistischen Regierung
Polens verstimmt war und sich übergangen fühlte; im Chaos
der revolutionären Wirtschaftsreformen und der raschen
politischen Umwälzungen gab es keine Aufgabe für ihn.

Ende 1990 trat Wałęsa schließlich zu den Präsidentschaftswahlen an und gewann diese auch, unter anderem indem er die Wähler mobilisierte, denen die Kompromisse beim ausgehandelten Zusammenbruch des Kommunismus nicht gefielen, vor allem nicht die Straffreiheit für die ehemaligen Kommunisten. Jarosław wurde bald klar, dass die Politik nichts für ihn war, vor allem nicht die Politik der Wut: »Ich habe gesehen, worum es in der Politik wirklich ging – gemeine Intrigen, Schlammschlachten und Schmutzkampagnen.«[22]

Hier begegnete er auch Kaczyński, dem späteren Gründer der PiS. Jarosław beschrieb ihn mir als »Meister dieses Spiels. In seiner politischen Vorstellungswelt ist kein Platz für Zufälle. … Wenn etwas passierte, dann handelte es sich um eine Intrige von außen. Sein Lieblingswort ist *Verschwörung*.« (Im Gegensatz zu Jarosław weigerte sich Jacek, mit mir zu sprechen. Einer unserer zahlreichen gemeinsamen Freunde gab mir seine private Handynummer; ich schrieb eine SMS, rief mehrmals an und sprach ihm Nachrichten auf die Mailbox. Einmal nahm jemand ab und kicherte, als ich meinen Namen nannte; er wiederholte ihn laut, dann sagte er, »natürlich, natürlich« werde mich der Direktor des polnischen Fernsehens zurückrufen. Was nie geschah.)

Jarosław verabschiedete sich schließlich aus der Politik und schloss sich der Tageszeitung *Gazeta Wyborcza* an, die 1989 im Zusammenhang mit den ersten teilweise freien Wahlen in Polen gegründet worden war. Im neuen Polen habe er etwas Neues mit aufbauen, eine freie Presse mitbegründen wollen, sagte er mir. Jacek schlug den entgegengesetzten Weg ein. »Du bist ein Idiot«, meinte er, als er erfuhr, dass Jarosław seine Stelle bei Wałęsa aufgegeben hatte. Jacek ging zwar noch zur Schule, doch er dachte bereits an eine politische Laufbahn und schlug seinem Bruder sogar vor, an dessen Stelle weiterzuarbeiten, weil es ohnehin niemand bemerken würde: »Erst Jarek, jetzt Jacek. Das fällt doch keinem auf!«

Jarosław erinnert sich, Jacek sei stets »begeistert« gewesen von den Kaczyński-Brüdern, die vom ersten Tag an Intriganten, Ränkeschmiede und Verschwörungstheoretiker waren. Für den polnischen Konservatismus und die Bücher und Debatten, die seinen Bruder gefesselt hatten, interessierte er sich allerdings nicht sonderlich. Eine Freundin der beiden meinte zu mir, sie glaube nicht, dass Jacek überhaupt echte politische Überzeugungen habe. »Ist er konservativ? Ich glaube nicht, zumindest nicht im engeren Sinn. Er ist jemand, der oben stehen will.«[23] Und genau daran arbeitete er seit Ende der 1980er Jahre.

Was dann passierte, wurde vor allem von Emotionen bestimmt, wie sie Politologen nur selten beleuchten. Jacek Kurski ist kein radikal isolierter Konformist, wie Hannah Arendt ihn beschreibt, er verkörpert nicht die Banalität des Bösen und ist kein Bürokrat, der nur Anweisungen befolgt. Er hat nie etwas Gehaltvolles oder Interessantes zum Thema Demokratie von sich gegeben und scheint weder für noch gegen dieses politische System zu sein. Er ist weder Ideologe noch Überzeugungstäter, sondern ein Mann, der die Macht und den Ruhm will, die man ihm seiner Ansicht nach zu Unrecht vorenthalten hat. Um Jacek zu verstehen, kann man die Lehrbücher der Politologie getrost zuklappen und sich stattdessen den Antihelden der Literatur zuwenden. Shakespeares Iago bietet sich an, der Othellos Selbstzweifel und Eifersucht manipulierte, oder Stendhals Julien Sorel, der seine Geliebte erschießen will, weil sie seinen Plänen im Weg steht.

Wut, Rache und Neid, nicht radikale Isolation waren die Motive der folgenden Ereignisse. Jacek wandte sich gegen Wałęsa, vermutlich weil dieser ihm nicht die Position zudachte, die er seiner Ansicht nach verdient gehabt hätte. Er heiratete und ließ sich wieder scheiden, er klagte mehrmals gegen die Zeitung seines Bruders, und diese klagte zurück. Er war Mitautor eines hitzigen Buchs und eines Films über die geheimen Verschwörungen gegen die polnische Rechte. Beide Projekte verschafften ihm einen gewissen Ruf bei Leuten, die wie er der Ansicht waren, sie seien bei der Verteilung der Macht im ersten Vierteljahrhundert des postkommunistischen Polen zu kurz gekommen.

Jacek schloss sich verschiedene Male teils randständigen, teils mittigen Parteien oder Gruppierungen an. Eine Wahlperiode lang saß er als Abgeordneter im Parlament, ohne jedoch Spuren zu hinterlassen. Eine weitere Wahlperiode lang war er Abgeordneter des Europaparlaments, und auch hier hinterließ er keine Spuren. Er wurde Spezialist für sogenannte »schwarze PR«. Unter anderem versuchte er, die Präsidentschaftskandidatur von Donald Tusk zu sabotieren (der schließlich Ministerpräsident und später Präsident des Europäischen Rates wurde), indem er unter anderem die Lüge verbreitete, Tusks Großvater habe sich freiwillig zur Wehrmacht gemeldet. Einer kleinen Gruppe von Journalisten soll Jacek gesagt haben, das sei natürlich gelogen, aber »*ciemny lud to kupi*«[24] – »die dummen Bauern werden es so schon schlucken«. Der legendäre Solidarność-Führer Bogdan Borusewicz nennt ihn »skrupellos«.[25]

Obwohl Jacek jahrelang in der Öffentlichkeit wirkte, erhielt er nicht die Anerkennung, die er als ehemaliger jugendlicher Gewerkschaftsaktivist seiner Ansicht nach verdient gehabt hätte. Das muss sehr an ihm genagt haben, meint sein Bruder: »Sein Leben lang war er überzeugt, dass er eine große Karriere verdient hat ... dass er Ministerpräsident wird, dass er zu Großem bestimmt ist. Aber das Schicksal hat ihn ausersehen, immer wieder zu scheitern ... Er ist zu dem Schluss gekommen, dass das ein riesiges Unrecht ist.« Jarosław war dagegen erfolgreich, Teil des Establishments und Redakteur einer Zeitung, die viele für die wichtigste des Landes halten.

2015 wurde Jacek dann von Kaczyński aus dem relativen Dunkel des politischen Randes geholt und an die Spitze des nationalen Fernsehens befördert. Nun schien seine Stunde gekommen, und er konnte seine politischen Frustrationen austreiben. Man stelle sich vor, die BBC würde plötzlich von der Verschwörungswebsite InfoWars übernommen – das gibt eine ungefähre Vorstellung davon, was mit Telewizja Polska passierte, dem Betreiber mehrerer Radio- und Fernsehsender, die bis heute für einen großen Teil der Bevölkerung die wichtigste Informationsquelle sind. Jaceks Zerschlagung des staatlichen Rundfunks war verfassungswidrig – nach 1989 sollte das Staatsfernsehen in eine öffentliche Rundfunkanstalt umgewandelt werden, politisch neutral im Stile der BBC. Doch er ging mit der Gründlichkeit eines Mannes vor, der nach Rache dürstet.

Die prominentesten Journalisten wurden entlassen und durch Leute ersetzt, die zuvor für die Presse am äußersten rechten Rand gearbeitet hatten. Es dauerte nicht lange, und die Nachrichtensendungen taten nicht einmal mehr so, als wären sie objektiv und neutral. Ihre verzerrten Berichte waren ausschweifende Rachefeldzüge gegen Menschen und Organisationen, die der PiS missfielen. Einige dieser Kampagnen waren nicht nur hässlich, sondern tödlich. Monatelang betrieb der Staatsfunk einen wüsten Feldzug gegen Paweł Adamowicz, den beliebten Bürgermeister von Danzig, und warf ihm unter anderem Korruption und Verrat vor. Einige Menschen glaubten das: Während eines Benefizkonzerts am 13. Januar 2019 sprang ein frisch entlassener Häftling, der im Gefängnis die Nachrichten des staatlichen Senders gesehen hatte, auf die Bühne und stieß Adamowicz ein Messer in die Brust. Am Tag darauf erlag der Bürgermeister seinen Verletzungen.

Weder Kurski noch Kaczyński äußerten sich je zur Rolle, die der Sender bei der Radikalisierung des Täters gespielt hatte. Im Gegenteil, statt sich zu entschuldigen, verspritzt die Telewizja Polska ihr Gift nun gegen andere. Eine der Zielscheiben war die neue Danziger Bürgermeisterin Aleksandra Dulkiewicz, die inzwischen Personenschutz benötigt. Die Bürgermeister von Poznań und anderen Städten haben Morddrohungen erhalten. In Polen wurde das Tabu gegen politische Gewalt gebrochen, und niemand weiß, wer das nächste Opfer sein wird.

Doch der Sender bleibt bei seinem Kurs und will offenbar nicht wahrhaben, dass er mit seinen fortgesetzten Hasskampagnen einen weiteren Mord anstiften kann. Jeder Anschein von Fairness wurde aufgegeben, der Sender beschäftigt keine objektiven Kommentatoren mehr. Im Gegenteil, er ist offenbar noch stolz darauf, wie sehr er die Wirklichkeit verdrehen kann. 2018 zeigte der Sender zum Beispiel einen Ausschnitt aus einer Pressekonferenz des damaligen Oppositionsführers Grzegorz Schetyna, der gefragt wurde, was seine Partei in den acht Jahren ihrer Regierungszeit zwischen 2007 und 2015 geleistet hat. Die Aufnahmen zeigten, wie Schetyna eine Pause macht und die Stirn in Falten legt, und damit endet der Ausschnitt.[26] Es entsteht der Eindruck, als hätte Schetyna nichts zu sagen.

In Wirklichkeit sprach er mehrere Minuten lang über den Ausbau der Infrastruktur, die Förderung ländlicher Regionen und die Fortschritte in der Außenpolitik. Doch der manipulierte Bericht – einer von unzähligen – war ein derartiger Erfolg, dass ihn die Twitter-Redaktion des Senders tagelang ganz oben auf ihrer Seite anheftete. Unter der PiS produziert der Staatssender nicht nur Regierungspropaganda, sondern er weist sogar noch ausdrücklich darauf hin. Er verdreht nicht nur die Tatsachen, sondern er brüstet sich auch noch damit.

Jacek, dem so viele Jahre lang die Anerkennung verweigert wurde, hat seine Rache bekommen. Selbst als er schließlich die Leitung des staatlichen Rundfunks abgeben musste – inzwischen ging er selbst einigen Parteifreunden zu weit –, blieb er da, wo er seiner Ansicht nach hingehörte: im Mittelpunkt der Aufmerksamkeit, der Radikale, der Molotow-Cocktails in die Menge schleudert. Seine Frustration über sein Scheitern in einem auf Vernunft und Kompetenz basierenden politischen System hat er inzwischen überwunden. Der nicht-freiheitliche Einparteienstaat ist wie geschaffen für ihn: Je unfreier er wird, umso mehr Angst kann er einflößen, und umso mehr Macht bekommt er. Der Kommunismus steht als Feind nicht mehr zur Verfügung. Aber neue Feinde sind schnell gefunden. Sein Triumph über sie macht ihn nur größer.

★

Von George Orwell bis Arthur Koestler waren europäische Autoren des 20. Jahrhunderts besessen vom Gedanken der großen Lüge, dem ideologischen Gebäude des Kommunismus und des Faschismus. Die Plakate, die Treue gegenüber

Partei und Führer verlangten, die marschierenden Braun-
und Schwarzhemden, die Fackelzüge, die Geheimpolizei –
die große Lüge war derart absurd und unmenschlich, dass
sie nur mit Gewalt durchzusetzen und aufrechtzuerhalten
war. Sie verlangte Zwangsbildung, absolute Kontrolle über
die Kultur und die Instrumentalisierung von Journalismus,
Sport, Literatur und Kunst.

Die polarisierenden politischen Bewegungen des
21. Jahrhunderts brauchen dagegen keine Massenbewegung.
Sie vertreten keine allumfassende Ideologie und benötigen
daher keine Gewalt und keine Geheimpolizei. Sie brauchen
ihre *clercs,* doch sie zwingen sie nicht zu behaupten, dass
Schwarz Weiß und Krieg Frieden ist oder dass die staatlichen Landwirtschaftsbetriebe ihr Planziel zu 1000 Prozent
erfüllt haben. Selten arbeiten sie mit Propaganda, die im
krassen Widerspruch zur Alltagswirklichkeit der Menschen
steht. Statt der großen Lüge verwenden sie die »mittelgroße
Lüge«, wie der Historiker Timothy Snyder sie in einem
Gespräch mit mir nannte. Sie sind darauf angewiesen, dass
ihre Anhänger zumindest zeitweise eine alternative Realität
vertreten. Gelegentlich ergibt sich diese alternative Realität spontan, doch meist wird sie mithilfe moderner Mar-
ketingtechniken, Zielgruppenanalysen und Social-Media-
Kampagnen sorgfältig lanciert.

Amerikaner wissen nur zu gut, wie Lügen die Gesellschaft spalten und Fremdenfeindlichkeit schüren können.
Lange bevor Donald Trump als Präsident kandidierte, betrat
er die politische Bühne mit der frei erfundenen Behauptung, Barack Obama sei nicht in den Vereinigten Staaten
zur Welt gekommen – eine Verschwörungstheorie, deren
Tragweite seinerzeit vollkommen unterschätzt wurde. Auch
in mindestens zwei europäischen Staaten, in Polen und

Ungarn, können wir heute sehen, was passiert, wenn die mittelgroße Lüge in Form einer Verschwörungstheorie erst im Wahlkampf eingesetzt wird und dann von der Regierung, mit der ganzen Wucht eines modernen Staatsapparats.

In Ungarn ist diese Lüge nicht sonderlich originell und wird auch von der russischen und vielen anderen Regierungen verbreitet. Es ist die Behauptung, der ungarisch-jüdische Milliardär George Soros verfüge über schier übermenschliche Kräfte und plane, Ungarn durch den Import von Migranten zu zerstören. Wie andere erfolgreiche Verschwörungstheorien enthält auch diese ein Körnchen Wahrheit: Tatsächlich schlug Soros während der Flüchtlingskrise des Jahres 2015 vor, das reiche Europa solle in einer humanitären Geste mehr Syrer aufnehmen, um die ärmeren Länder des Nahen Ostens zu entlasten. Doch die Propaganda in Ungarn und auf zahllosen rechtsextremen und identitären Websites in Europa und den Vereinigten Staaten geht weit darüber hinaus. Sie stellt Soros als Kopf einer jüdischen Verschwörung dar, die den Plan verfolgt, weiße, europäische Christen durch dunkelhäutige Muslime zu ersetzen. Diese Bewegungen sehen in Migranten nicht nur eine wirtschaftliche Bürde oder eine terroristische Bedrohung, sondern eine existenzielle Herausforderung für ihre Nation. Mehrfach hat die ungarische Regierung Soros' Konterfei auf Plakaten, in U-Bahnen und auf Flugblättern verwendet, um der Bevölkerung Angst zu machen und sie auf ihre Seite zu bringen.

In Polen ist die Lüge etwas origineller. Es ist die Verschwörungstheorie von Smolensk, der zufolge das Präsidentenflugzeug im April 2010 durch ein ruchloses Komplott zum Absturz gebracht wurde. Diese Geschichte, die von meiner Freundin Anita Gargas und vielen anderen verbreitet wurde, stößt in Polen auch deshalb auf offene Ohren, weil es unheimliche historische Parallelen gibt. Der verunglückte Präsident Lech Kaczyński war auf dem Weg zu einer Gedenkveranstaltung für das Massaker von Katyń im Jahr 1940, in dem mehr als 21 000 polnische Offiziere ermordet wurden – ein gezielter Schlag Stalins gegen die Elite des Landes. An Bord des Flugzeugs waren Dutzende hochrangige Offiziere und Politiker, darunter auch viele Freunde von mir. Mein Mann kannte fast alle der Opfer persönlich, selbst die Flugbegleiter.

Auf das Unglück folgte eine Flutwelle der Emotionen. Das ganze Land wurde von einer gewaltigen Hysterie heimgesucht, vergleichbar mit dem Wahn, der die Vereinigten Staaten nach den Anschlägen des 11. September 2001 erfasste. Fernsehmoderatoren trugen schwarze Krawatten als Zeichen der Trauer, Freunde versammelten sich in unserer Wohnung in Warschau und unterhielten sich darüber, wie sich in diesem finsteren russischen Wald die Geschichte wiederholte. Meine Erinnerungen an die Tage nach dem Absturz sind bruchstückhaft und chaotisch. Ich erinnere mich noch, wie ich ein schwarzes Kostüm kaufte, um es bei den Trauerfeiern zu tragen; ich erinnere mich an eine der Witwen, die so schwach war, dass sie kaum stehen konnte. Mein Mann, der die Einladung zum Flug in der Maschine des Präsidenten ausgeschlagen hatte, fuhr am Abend zum Flughafen und stand Spalier, als die Särge eingeflogen wurden.

Zunächst schien die Tragödie die Menschen zusammenzuschweißen; schließlich waren Politiker aller Parteien unter den Opfern. Im ganzen Land fanden Beisetzungen statt. Selbst Wladimir Putin, damals russischer Ministerpräsident, wirkte betroffen. Am Abend des Unglücks fuhr er nach Smolensk, um sich mit dem damaligen polnischen Ministerpräsidenten Tusk zu treffen. Am folgenden Tag zeigte einer der beliebtesten Fernsehsender Russlands *Katyń,* einen emotionalen und anti-sowjetischen Film des großen polnischen Regisseurs Andrzej Wajda. Das war beispiellos, und seither wurde nichts Vergleichbares mehr ausgestrahlt. Doch schon bald wurde klar, dass der Absturz nicht dazu beitrug, die Menschen zu einen, genauso wenig wie die Untersuchung der Ursachen.

Noch am selben Tag trafen polnische Spezialisten vor Ort ein. Sie taten ihr Bestes, um die Leichen zu identifizieren und das Wrack zu untersuchen. Sobald sie die Blackbox gefunden hatten, werteten sie den Funkverkehr aus dem Cockpit aus. Was dabei herauskam, war wenig angenehm für die PiS und ihren Vorsitzenden, den Zwillingsbruder des verunglückten Präsidenten. Das Flugzeug war mit Verspätung gestartet, und der Präsident wollte wohl schnell ankommen, weil er mit der Reise die Kampagne zu seiner Wiederwahl einleiten wollte. Wahrscheinlich war er am Abend zuvor lange auf und hatte getrunken. Als sich die Piloten Smolensk näherten, erfuhren sie, dass dort dichter Nebel herrschte. Weil die Stadt keinen richtigen Flughafen hat, sondern nur einen Landestreifen im Wald, erwogen sie, eine andere Stadt anzufliegen. Das hätte allerdings eine stundenlange Anfahrt zu den Feierlichkeiten in Smolensk bedeutet. Nach einem kurzen Telefonat des Präsidenten mit seinem Bruder übten seine Berater offenbar Druck auf die Piloten aus. Einige gingen offenbar während des Fluges im Cockpit ein und aus, was gegen die Vorschriften ist. Ebenfalls entgegen alle Vorschriften setzte sich der Chef der Luftstreitkräfte zu den Piloten. »*Zmieścisz się śmiao* – Ihr schafft es, traut euch«, sagte er ihnen. Wenige Sekunden später streifte die Maschine die Wipfel einiger Birken, überschlug sich und traf auf dem Boden auf.

Anfangs scheint Jarosław Kaczyński geglaubt zu haben, dass es sich bei dem Absturz um einen Unfall handelte. »Es ist Ihre Schuld und die der Zeitungen«, sagte er meinem Mann, der die furchtbare Aufgabe hatte, ihn vom Absturz zu informieren. Damit meinte er, es sei die Schuld der Regierung, weil sie aus Furcht vor den negativen Schlagzeilen der Boulevardpresse keine neuen Flugzeuge angeschafft hatte. Doch der Verlauf der Ermittlungen gefiel ihm nicht, denn es stellte sich heraus, dass mit dem Flugzeug alles in Ordnung war.

Wie so viele Menschen, die zu Verschwörungstheorien greifen, um sich Zufallstragödien zu erklären, konnte Kaczyński wohl einfach nicht hinnehmen, dass sein geliebter Bruder einen sinnlosen Tod gestorben sein sollte. Oder vielleicht wollte er auch die noch schwierigere Tatsache nicht akzeptieren, dass der Präsident und seine Leute, vielleicht infolge seines Anrufs, die Piloten unter Druck gesetzt hatten zu landen und damit eine verhängnisvolle Verkettung von Ereignissen angestoßen hatten. Vielleicht hatte er ein schlechtes Gewissen, denn der Flug war seine Idee gewesen, oder vielleicht fühlte er Reue. Oder vielleicht erkannte er wie Donald Trump, dass ihm eine Verschwörungstheorie beim Griff nach der Macht in die Hände spielen konnte.

So wie Trump lange vor seiner Kandidatur Zweifel an Obamas Geburtsort weckte, um Misstrauen gegen das Establishment zu schüren, benutzte Kaczyński die Tragödie von Smolensk, um neue Unterstützer unter den Rechtsextremen zu gewinnen und sie zu überzeugen, dass der Regierung und den Medien nicht zu trauen war. Manchmal machte er Andeutungen, die russische Regierung stecke hinter dem Absturz. Bei anderen Gelegenheiten schob er die Schuld am Tod seines Bruders der damaligen Regierungs- und heutigen größten Oppositionspartei in die Schuhe: »Ihr habt ihn vernichtet, ihr habt ihn getötet, ihr Mistkerle!«, schrie er einmal im Parlament.[27]

Diese Anschuldigungen sind aus der Luft gegriffen, und das scheint er auch zu wissen. Vielleicht um ein wenig Abstand zu den Lügen zu halten, vertraute er die Verbreitung der Verschwörungstheorien einem seiner ältesten und sonderbarsten Weggefährten an. Antoni Macierewicz gehört derselben Generation an wie die Kaczyńskis und ist ein langjähriger Antikommunist, unterhält allerdings einige fragwürdige Beziehungen nach Russland und vertritt mehr als zweifelhafte Vorstellungen. Aufgrund seiner Geheimnistuerei und seiner wirren Ideen – so sagte er zum Beispiel einmal, er halte das berüchtigte antisemitische Pamphlet *Protokolle der Weisen von Zion* für ein vertrauenswürdiges historisches Dokument – sah sich die PiS im Wahlkampf 2015 sogar zu dem Versprechen veranlasst, dass Macierewicz definitiv nicht Verteidigungsminister werden würde.

Doch kaum hatte die Partei gewonnen, brach Kaczyński seine Zusage und gab Macierewicz genau dieses Ministerium. Dieser begann sofort mit der Institutionalisierung der Smolensk-Lüge. Er berief einen neuen Untersuchungsausschuss mit Pseudoexperten ein, darunter ein Ethnomusikologe, ein pensionierter Pilot, ein Psychologe, ein russischer Wirtschaftswissenschaftler und andere, die keinerlei Ahnung von Flugzeugabstürzen haben. Der vorige offizielle Untersuchungsbericht wurde von der Website der Regierung entfernt. Die Polizei verschaffte sich Zugang zu Wohnungen der Luftfahrtexperten, die in diesen ersten Ermittlungen ausgesagt hatten, verhörte sie und beschlagnahmte ihre

Computer. Als Macierewicz nach Washington flog, um sich im Pentagon mit seinem Amtskollegen zu treffen, war seine erste Frage, ob die amerikanischen Sicherheitsdienste über geheime Informationen zum Absturz von Smolensk verfügten. Die Amerikaner machten sich Sorgen um die geistige Gesundheit des Ministers.

Als europäische Institutionen und Menschenrechtsgruppen einige Wochen nach der Wahl auf die Maßnahmen der PiS-Regierung zu reagieren begannen, konzentrierten sie sich auf die Aushöhlung der Justiz und der Medien. Sie interessierten sich nicht für die Theorie der Smolensk-Verschwörung, die zugegeben auch etwas zu verworren war, als dass Außenstehende sie verstehen konnten. Doch die Entscheidung, ein Hirngespinst ins Zentrum der Regierungspolitik zu stellen, hatte große Auswirkungen auf alles, was nun folgen sollte.

Die Macierewicz-Kommission fand zwar nie eine glaubwürdige alternative Erklärung für den Absturz, doch die Smolensk-Lüge bereitete den moralischen Boden für immer neue Lügen. Wer diese Theorie schluckte, der schluckte alles. Er schluckte das gebrochene Versprechen, Macierewicz nicht ins Kabinett aufzunehmen. Er schluckte, dass die angeblich patriotische und anti-russische PiS in Gestalt von Macierewicz viele der hochrangigen Offiziere des Landes entließ, von Waffenlieferverträgen zurücktrat, Offiziere mit Beziehungen nach Russland beförderte und eine nächtliche Razzia in einer Warschauer NATO-Einrichtung durchführen ließ. Die Lüge gab den rechtsextremen Fußsoldaten außerdem eine ideologische Rechtfertigung für weitere Vergehen. Welche Fehler die Partei auch machen, welche Gesetze sie auch brechen mochte – wenigstens hatte sie die »Wahrheit« über Smolensk endlich ans Licht gebracht.

Die Theorie der Verschwörung von Smolensk diente noch einem weiteren Zweck: Den Jüngeren, die sich nicht mehr an den Kommunismus erinnerten, und einer Gesellschaft, in der ehemalige Kommunisten weitgehend aus der Politik verschwunden waren, bot sie ein neues Motiv, um den Politikern, Unternehmern und Intellektuellen zu misstrauen, die aus den Auseinandersetzungen der 1990er hervorgegangen waren und nun das Land führten. Vor allem bot sie eine Möglichkeit, eine neue und bessere Elite zu definieren. Dazu waren kein Wettbewerb, keine Prüfung und kein glänzender Lebenslauf nötig. Allein das Glaubensbekenntnis an die Smolensk-Lüge dient als Ausweis für einen guten Patrioten und Eignung für eine Stelle in der Regierung. Polen ist natürlich nicht das einzige Land, in dem dieser simple Mechanismus funktioniert.

*

Verschwörungstheorien sind emotional ansprechend, weil sie einfach sind. Sie bieten Erklärungen für komplexe Phänomene, Veränderungen und Zufälle und vermitteln dem Gläubigen das befriedigende Gefühl, einen privilegierten Zugang zur Wahrheit zu haben. Für angehende Teilhaber des Einparteienstaats wird die Verschwörungstheorie außerdem zum Sesam-öffne-Dich, der ihnen den Zugang zur Macht verschafft.

Mária Schmidt war nicht auf meiner Silvesterparty, aber wir haben uns etwa zu dieser Zeit kennengelernt. Sie ist Historikerin und Autorin einiger wichtiger Bücher zum Stalinismus in Ungarn, die mir bei meinen eigenen Recherchen zu diesem Thema sehr geholfen hat. Zum ersten Mal begegneten wir uns im Jahr 2002 bei der Eröffnung des

Terror Háza, des Museums Haus des Terrors in Budapest, das mich später auszeichnen sollte. Das Museum, das sie bis heute leitet, erforscht die Geschichte des Totalitarismus in Ungarn. Bei seiner Eröffnung war es eines der innovativsten neuen Museen Osteuropas.

Vom ersten Tag an wurde das Museum allerdings auch heftig kritisiert. Vielen Besuchern missfiel der erste Raum mit zwei einander gegenüberstehenden Bildschirmwänden, von denen die eine nationalsozialistische und die andere kommunistische Propaganda zeigt. Heute erschreckt uns dieser Vergleich weniger, doch im Jahr 2002 war es ein Schock. Andere meinten, das Museum gebe den Verbrechen des Faschismus zu wenig Raum, obwohl die Kommunisten in Ungarn viel länger an der Macht waren als die Faschisten, weshalb es auch mehr zu zeigen gibt. Ich fand es sehr erfreulich, dass das Museum mit Videos und Tonbandaufnahmen versucht, auch ein jüngeres Publikum zu erreichen, und mir gefiel der intelligente Umgang mit den Objekten. Außerdem fand ich es wichtig, dass das Museum zeigt, wie ungarische Normalbürger in beiden Regimes mitwirkten, weil dies den Nachfahren zeigen kann, dass ihr Land – wie jedes andere auch – die Verantwortung für seine Politik und Geschichte übernehmen sollte, statt in die nationalistische Falle zu tappen und den anderen die Schuld dafür in die Schuhe zu schieben.

Doch genau in dieser nationalistischen Falle befindet sich Ungarn heute. Wenn das Land in Museen und Gedenkveranstaltungen, die auch die Täter beim Namen nennen, mit seiner kommunistischen Vergangenheit abrechnet, dann festigte das nicht etwa das Ansehen des Rechtsstaats, wie ich gehofft hatte. Im Gegenteil, sechzehn Jahre nach Eröffnung des Terrorhauses zeigt die regierende

Fidesz immer weniger Respekt für den Rechtsstaat. In ihrer Vereinnahmung der staatlichen und ihrer Zerschlagung der privaten Medien geht sie noch weiter als die PiS. Letztere untergräbt sie unter anderem mit Drohungen und Werbeentzug, was schließlich dazu führt, dass die durch Schikane und Einnahmeverluste geschwächten Medienunternehmen von der Regierung nahestehenden Geschäftsleuten aufgekauft werden. Neben einer Ideologenclique hat sich die ungarische Regierung, ähnlich wie die russische, eine neue, Orbán-treue Unternehmerelite herangezogen. Ein ungarischer Geschäftsmann, der nicht namentlich genannt werden möchte, erzählte mir, kurz nach der Wahl Orbáns seien dessen Kumpane an ihn herangetreten und hätten von ihm verlangt, ihnen sein Unternehmen zum Schnäppchenpreis zu überlassen. Als er sich weigerte, arrangierten sie »Steuerprüfungen« und andere Schikanen und bedrohten ihn, weshalb er Leibwächter anheuern musste. Wie viele andere Landsleute in seiner Situation sah er sich schließlich gezwungen, sein Unternehmen zu verkaufen und das Land zu verlassen.

Wie die polnische Regierung bedient sich auch die ungarische der mittelgroßen Lüge: In ihrer Propaganda schiebt sie die Probleme des Landes – auch die Corona-Pandemie, die das schlecht ausgestattete Gesundheitswesen des Landes überfordert – auf nicht existierende muslimische Einwanderer, die Europäische Union und George Soros. Obwohl die Historikerin und Museumsdirektorin Mária Schmidt eigentlich aus der Opposition kommt und obwohl sie auf geistigem Gebiet Herausragendes geleistet hat, ist sie eine der Autoren dieser Lüge. In langen Blogartikeln wütet sie gegen Soros, gegen die von ihm gegründete Zentraleuropäische Universität und gegen »linke Intellektuelle«, womit sie offenbar freiheitliche Demokraten links und rechts der Mitte meint.

Mária Schmidts Leben ist voller ironischer Widersprüche. Sie wirkte in der antikommunistischen Opposition, wenn auch nicht an prominenter Stelle. Sie erzählte mir einmal, dass während ihrer Universitätszeit alle Antikommunisten in derselben Budapester Bibliothek arbeiteten; wenn jemand ein Zeichen gab, standen alle auf, um gemeinsam Kaffee zu trinken. Nach 1989 war sie eine der Nutznießerinnen der politischen Wende: Ihr mittlerweile verstorbener Mann verdiente ein Vermögen auf dem postkommunistischen Immobilienmarkt, weshalb sie heute in einer Residenz in den Bergen von Buda lebt. Obwohl sie eine Kampagne gegen die Universität von George Soros führt, gehört ihr Sohn zu den Absolventen dieser Hochschule. Und obwohl sie sehr genau weiß, was ab Mitte der 1940er Jahre in ihrem Land geschah, ging sie bei der Übernahme der angesehenen Zeitschrift *Figyelő* nach kommunistischem Vorbild vor, tauschte die Redaktion aus, entließ unabhängige Reporter und ersetzte sie durch regierungstreue Schreiberlinge. *Figyelő* war zwar ein Privatunternehmen und damit unabhängig. Doch von Beginn an war offensichtlich, wer die eigentlichen Herren waren. Eine Ausgabe nahm beispielsweise eine ungarische Nichtregierungsorganisation ins Visier und stellte auf dem Cover einen Vergleich mit der Terrorgruppe Islamischer Staat her; im Innenteil fanden sich Dutzende Seiten vom Staat bezahlter Werbung für die Nationalbank, das Finanzministerium und die offizielle Anti-Soros-Kampagne. Das ist die moderne Variante der Staatspresse des Einparteienstaats, sogar der zynische Tonfall ist derselbe wie in der kommunistischen Einheitspresse. Es ist die ungarische Ver-

sion von Jacek Kurskis polnischem Staatsfernsehen: höh-
nisch, derb und bösartig. Im April 2018 druckte sie eine
Liste von »Soros-Söldnern« – den »Verrätern«, die in von
Soros mit Spenden bedachten Organisationen arbeiteten –
und machte sie damit zur Zielscheibe von Angriffen und
Hass.[28] Das Cover der Dezemberausgabe desselben Jahres
zeigte den Präsidenten der jüdischen Gemeinde Ungarns
András Heisler, umschwebt von 20 000-Forint-Scheinen.

Als ich Schmidt um ein Interview bat, nannte sie mich
erst »arrogant und ignorant«, stimmte dann aber unter der
Voraussetzung zu, dass ich mir ihre Einwände gegen einen
Artikel über Ungarn anhörte, den ich für die *Washington
Post* geschrieben hatte.[29] Obwohl ich mir wenig erhoffte,
flog ich also nach Budapest, wo sich ein offenes Gespräch
als unmöglich erwies. Schmidt spricht ausgezeichnetes
Englisch, doch sie wollte nur über einen Dolmetscher mit
mir sprechen. Sie rief einen verschüchterten jungen Mann
herein, der nach meinen Transkripten zu urteilen einiges
von dem unterschlug, was sie sagte. Obwohl wir uns seit
fast zwanzig Jahren kennen, stellte sie in einem offenkundi-
gen Zeichen des Widerwillens ein eigenes Diktiergerät auf
den Tisch.

Dann leierte sie dieselben Argumente herunter, die
ich bereits aus ihren Blogartikeln kannte. Als Beweis dafür,
dass George Soros die amerikanischen Demokraten gekauft
hat, zitierte sie eine Folge der amerikanischen Comedy-
sendung *Saturday Night Live.* Und als Beleg dafür, dass die
Vereinigten Staaten »eine unverbesserliche und ideologisch
agierende Kolonialmacht« sind, zitierte sie eine Rede von
Barack Obama, in der er eine ungarische Stiftung kritisierte,
weil diese eine Statue zu Ehren von Bálint Hóman errichten wollte, der für die anti-jüdischen Gesetze der 1930er

und 1940er Jahre verantwortlich war. Sie wiederholte ihre Behauptung, die Zuwanderung stelle eine schwere Bedrohung für Ungarn dar, und wurde ungehalten, als ich mehrmals nachfragte, wo diese Zuwanderer denn seien. »In Deutschland«, schnauzte sie schließlich. Natürlich: Die wenigen Flüchtlinge aus dem Nahen Osten, die 2016 nach Ungarn kamen, verspürten keinerlei Bedürfnis, dort zu bleiben. In Ungarn ist die Zuwanderung ein rein imaginäres Problem.

Schmidt ist empfindlich und wütend. Sie sagt, sie fühle sich bevormundet, und nicht nur von mir. Unlängst bezeichnete der bulgarische Autor Ivan Krastev diese Haltung als »postkolonial«.[30] Einige Menschen, allen voran Intellektuelle wie Schmidt, haben ganz offenkundig kein Interesse an universellen Werten, die einer Demokratie zugrunde liegen, und empfinden es als entwürdigend, das demokratische Projekt des Westens nachgeahmt, statt etwas Neues und Eigenes auf die Beine gestellt zu haben. Genau diesen Ton schlug Schmidt in unserem Gespräch an. Westliche Medien und Diplomaten »sprechen von oben herab mit uns, so wie früher mit ihren Kolonien«, erklärte sie mir. Als ich sie nach Antisemitismus, Korruption oder Autoritarismus frage, verbittet sich Schmidt die »Einmischung in unsere Angelegenheiten«.

Schmidt verwendet zwar viel Energie auf die Kritik der westlichen Demokratie, doch etwas anderes oder Besseres hat sie nicht zu bieten. Sosehr sie von der Einmaligkeit Ungarns und der ungarischen Identität spricht, hat sie einen erheblichen Teil ihrer zutiefst unoriginellen Ideologie von Breitbart News abgekupfert, bis hin zu ihren karikierenden Beschreibungen von amerikanischen Universitäten und der Forderung nach »transsexuellen Toiletten«. Und das, obwohl es in Ungarn keine nennenswerte kulturelle Linke gibt und Viktor Orbán – der die ungarische Akademie der Wissenschaften direkt unter staatliche Aufsicht gestellt, Wissenschaftler mit Drohungen zum Schweigen gebracht und die Zentraleuropäische Universität aus dem Land vertrieben hat – eine weit größere Gefahr für die Freiheit der Wissenschaften darstellt als jeder Linke des Landes. Ich weiß von mindestens einer Gruppe ungarischer Politologen, die es vorzog, ihre Wahlanalyse nicht zu veröffentlichen (sie wies Fidesz Wahlbetrug nach), weil sie Mittelkürzungen und Entlassungen fürchten musste. Das hindert Schmidt nicht daran, auf die nicht existierende Linke zu schimpfen. Dazu lud sie Steve Bannon und Milo Yiannopoulos nach Budapest ein, als diese ihren Einfluss in den Vereinigten Staaten längst verloren hatten. Selbst ihr Nationalismus ist am Ende nichts als ein Alt-Right-Imitat.

Es ist eine zusätzliche Ironie, dass sie, mehr noch als Orbán, das Ethos der verhassten Bolschewiken so perfekt verkörpert. Ihr Zynismus geht tief. Soros' Unterstützung für die syrischen Flüchtlinge kann kein Akt der Menschenfreundlichkeit sein, sondern sie muss aus seinem Wunsch rühren, Ungarn zu vernichten. Obamas Kritik an der Statue ist unaufrichtig und muss Ausdruck seiner finanziellen Abhängigkeit von Soros sein. Angela Merkels Flüchtlingspolitik kann nichts mit Hilfsbereitschaft zu tun haben, sondern ist Ausdruck einer ruchlosen Agenda. »Das ist doch alles Blödsinn«, sagte Schmidt. »Sie will doch nur beweisen, dass die Deutschen diesmal die Guten sind. Damit sie allen Vorträge über Menschlichkeit und Moral halten können. Den Deutschen ist es doch egal, worüber sie dem Rest der Welt Vorträge halten, Hauptsache, sie können jemandem Vorträge halten.« Das alles erinnert an Lenins Verachtung für die bürgerliche Demokratie, für die vermeintlich verlogene freie Presse und den seiner Ansicht nach unehrlichen freiheitlichen Idealismus.[31]

Doch genau wie für Donald Trump und Kaczyński funktioniert die mittelgroße Lüge auch für Orbán, und sei es nur, weil er es damit schafft, die Aufmerksamkeit der Welt von seinen Taten auf sein Gerede zu lenken. Schmidt und ich verbrachten den größten Teil unseres unerfreulichen zweistündigen Gesprächs mit der Erörterung absurder Fragen: Hat George Soros die amerikanischen Demokraten gekauft? Sind die Migranten, die 2016 versuchten, Ungarn zu durchqueren, um nach Deutschland zu kommen – und inzwischen komplett ausbleiben –, wirklich eine Gefahr für das Land, wie die Regierungspropaganda behauptet? So kamen wir nicht mehr dazu, über den Einfluss Russlands auf Ungarn zu sprechen, der inzwischen sehr groß ist. Oder über die Sonderausstellungen ihres Museums, in denen eine neue deutschland- und europafeindliche politische Korrektheit zum Ausdruck kommt; zum Jahrestag der Russischen Revolution zeigte sie zum Beispiel eine Ausstellung, die den Umsturz der Bolschewiken auf eine deutsche Geheimdienstoperation reduzierte.

Wir kamen auch nicht dazu, über Korruption zu reden oder über die vielen von Reuters, der *Financial Times* und anderen dokumentierten Gelegenheiten, bei denen sich Orbáns Kumpane persönlich an europäischen Subventionen bereicherten und Kapital aus Gesetzen schlugen. Orbáns Methode funktioniert: Sprich emotionale Themen an. Verkauf dich als Hüter der westlichen Zivilisation, vor allem im Ausland. So schaut niemand auf die Schieberei und Vetternwirtschaft zu Hause.

Auch über Schmidts eigene Motive erfuhr ich nicht viel.

Ich bin mir sicher, dass ihr Nationalstolz aufrichtig ist. Aber glaubt sie wirklich, dass dem Land Gefahr durch George Soros und einige unsichtbare Syrer droht? Vielleicht gehört sie zu den Menschen, die sich selbst bestimmte Dinge einreden können, wenn sie ihnen nützen. Oder vielleicht behandelt sie ihre Seite mit demselben Zynismus wie ihre Gegner, und das Ganze ist nur ein raffiniertes Spiel.

Ihre Position hat durchaus ihre Vorteile. Dank Orbán hat Schmidt seit fast zwei Jahrzehnten das Geld und die politische Unterstützung für ihr Museum und zwei weitere historische Institute, und sie nutzt ihren Einfluss, um das historische Gedächtnis der Ungarn zu formen. Sie genießt ihre Stellung. In diesem Sinne erinnert sie an den französischen Schriftsteller Maurice Barrès, einen der von Julien Benda beschriebenen *clercs*.[32] Obwohl Barrès als Skeptiker begann, »wuchs sein Stern um ein Hundertfaches, zumindest im eigenen Land, als er sich zum Apostel der ›notwendigen Vorurteile‹ machte«. Barrès legte sich rechtsextreme Ansichten zu und wurde damit reich und berühmt. Schmidts wütender Antikolonialismus hat eine ähnliche Wirkung.

Vielleicht spielt sie ihre Karten deshalb so bedacht und achtet so sorgfältig darauf, es stets mit den Herrschenden zu halten. Nach unserem Gespräch veröffentlichte sie ohne meine Zustimmung ein stark verzerrtes Gesprächsprotokoll auf ihrem Blog; irreführenderweise stellte sie es als ihr Interview mit mir dar und schien zu beweisen, dass sie unsere Diskussion »gewonnen« hatte. Das Protokoll landete sogar auf der offiziellen englischsprachigen Website der ungarischen Regierung.

Wenn Sie sich vorstellen, das Weiße Haus würde das Protokoll eines Gesprächs zwischen dem Leiter des Smith-

sonian und einem ausländischen Trump-Kritiker veröffentlichen, dann wird Ihnen die ganze Merkwürdigkeit dieses
Vorfalls klar. Aber als ich ihren Artikel sah, wurde mir auch
klar, warum sie unserem Gespräch überhaupt zugestimmt
hatte: Es war eine Show gewesen, mit der Schmidt ihren
Landsleuten vorführen wollte, dass sie dem Regime ergeben und bereit war, es zu verteidigen. Was ja auch stimmt.

Kapitel 3: Die Zukunft der Nostalgie

Wenn Sie mir bis hierher in die Abgründe der polnischen und ungarischen Politik mit seinem Personal aus schwer aussprechbaren Namen gefolgt sind, dann könnten Sie versucht sein, dies als regionales Phänomen abzutun. Manch einer glaubt, die Krise der europäischen Demokratie sei ein Problem des Ostens und der ehemaligen kommunistischen Staaten, die den Kater von 1989 noch nicht überwunden haben. Oder dass der neue Autoritarismus in Osteuropa auf regionale Versäumnisse beim Umgang mit der Vergangenheit zurückzuführen ist.

Doch solche Erklärungen greifen zu kurz, denn diese Bewegungen sind neu. Abgesehen vom ehemaligen Jugoslawien gab es nach 1989 in Mitteleuropa keine nationalistische und antidemokratische Welle. Diese kam erst in den letzten zehn Jahren auf. Ursache waren auch keine mystischen »Geister aus der Vergangenheit«, sondern die konkreten Taten von Menschen, denen die bestehenden Demokratien missfielen. Sie missfielen ihnen, weil sie zu schwach, zu unoriginell, zu unentschlossen oder zu individualistisch waren, oder einfach deshalb, weil sie selbst innerhalb dieser Demokratien nicht die Positionen erreichten, die ihnen ihrer Ansicht nach zustanden. Es ist nichts »Östliches« an Jacek Kurskis Neid auf den Erfolg seines Bruders und seinem Gefühl, dass er Besseres verdient hat. Es ist nichts »Postkommunistisches« an Mária Schmidts Wandel von einer Dissidentin zur Magd der Mächtigen: Das sind sehr alte Geschichten, wie man sie im Westen genauso kennt wie im Osten. In dieser Hinsicht sind die Länder zwischen Berlin und Moskau also nichts Besonderes.

Als ich mich eines schönen Abends an einem hässlichen Platz in Athen mit einem griechischen Politikwissenschaftler in einem Fischrestaurant traf und ihm meine Silvesterparty beschrieb, musste er leise über mich lachen. Oder eher mit mir, denn er wollte nicht unhöflich sein. Aber die politischen Gräben, die ich ihm beschrieb, waren für ihn ein alter Hut. »Dieser freiheitliche Moment nach 1989, das war die Ausnahme«, meinte Stathis Kalyvas.[33] Einigkeit ist unnormal. Die Norm ist die Polarisierung. Die Norm ist die Skepsis gegenüber der freiheitlichen Demokratie. Der Autoritarismus ist immer verlockend.

Kalyvas ist unter anderem Autor mehrerer Bücher über Bürgerkriege, darunter den Griechischen Bürgerkrieg der 1940er Jahre, einem der vielen Momente in der europäischen Geschichte, in dem radikal polarisierte politische Gruppen zu den Waffen griffen und einander umbrachten. Aber in Griechenland sind *Bürgerkrieg* und *Bürgerfrieden* selbst zu den besten Zeiten relativ. Von 1967 bis 1974 wurde das Land von einer brutalen Militärjunta regiert; 2008 kam es in Athen zu gewalttätigen Unruhen; wenige Jahre später herrschte eine linksradikale Partei in einer Koalition mit Rechtsradikalen. Bei unserem Gespräch waren in Griechenland die Gemäßigten angesagt; in Athen erzählte man mir, es sei jetzt en vogue, »liberal« zu sein, also weder kommunistisch noch autoritär. Junge Avantgardisten bezeichneten sich als »neoliberal« und griffen damit eine

Bezeichnung auf, die vor wenigen Jahren noch ein Feindbild beschrieb. Diese Mode hatte Folgen: Ein Jahr nach meinem Besuch gewann der liberal-konservative Kyriakos Mitsotakis die Wahlen und wurde Ministerpräsident.

Doch selbst die optimistischsten Anhänger der politischen Mitte zweifelten, ob dieser Wandel von Dauer sei. »Wir haben die Linksradikalen überlebt«, meinten einige Leute finster. »Jetzt wappnen wir uns für die Rechtsradikalen.« Lange hatte ein hässlicher Streit um den Status der ehemaligen jugoslawischen Teilrepublik Nordmazedonien geschwelt, die an Griechenland grenzt. Kaum hatte ich das Land wieder verlassen, wies die griechische Regierung einige russische Diplomaten aus, weil diese im Norden des Landes die anti-mazedonische Stimmung anheizten. Egal, welchen Konsens ein Land auch finden mag, es gibt immer irgendjemanden, zu Hause oder im Ausland, der Gründe hat, das Gleichgewicht zu stören.

In Griechenland hat man das Gefühl, dass sich die Geschichte im Kreis dreht. Heute ist das Land eine freiheitliche Demokratie. Aber morgen könnte es schon eine Oligarchie sein. Dann wieder eine freiheitliche Demokratie. Dann könnten ausländische Mächte intervenieren, es könnte ein Putschversuch folgen, dann ein Bürgerkrieg, dann eine Diktatur oder wieder eine Oligarchie. Und so wird es auch weitergehen, denn so war es schon immer, bis zurück zur antiken Republik von Athen.

Aber auch in anderen Teilen Europas hat man plötzlich das Gefühl, dass sich die Geschichte wiederholt. Der Graben, der Polen spaltet, erinnert an die Weimarer Republik. Der Sprachgebrauch der radikalen Rechten in Europa – die Forderung nach einer »Revolution« gegen die »Eliten« und die Sehnsucht nach »reinigender« Gewalt und einem apoka-

lyptischen Kulturkampf – erinnert in beängstigender Weise
an den einstigen Sprachgebrauch der radikalen Linken. Die
Anwesenheit frustrierter Intellektueller, die meinen, die
Regeln seien nicht fair und die falschen Leute hätten das
Sagen, ist allerdings keine einmalig europäische Angelegenheit. Der venezolanische Autor Moisés Naím kam einige
Monate nach dem Wahlsieg der PiS nach Warschau. Er
bat mich, ihm die neue polnische Führung zu beschreiben: Was waren das für Leute? Ich nannte ihm ein paar
Adjektive: *wütend, rachsüchtig, ressentimentgeladen.* »Klingt
wie die Chavistas«, meinte er. Ich kam Anfang 2020 nach
Venezuela und staunte über die Ähnlichkeit nicht nur zu
marxistisch-leninistischen Staaten, sondern auch zu den
neuen nationalistischen Regimes. Wirtschaftlicher Verfall
und eine vertuschte Hungerkatastrophe auf der einen Seite;
Angriffe auf Rechtsstaatlichkeit, Presse, Universitäten und
angebliche »Eliten« auf der anderen. Im Staatsfernsehen
laufen Propaganda und eklatante Lügen in Dauerschleife,
und die Spaltung geht so tief, dass sie sogar in der Geografie
der Hauptstadt Caracas sichtbar wird. Das erinnerte mich
nicht nur an das Osteuropa der Vergangenheit, sondern
auch an einige Teile der westlichen Welt in der Gegenwart.

Sobald ein Land die Aristokraten verjagt hat und nicht
mehr an Erbmonarchie und Gottesgnadentum glaubt,
beginnt eine fortwährende Auseinandersetzung darum,
wer herrscht und wer zur Elite gehört. In Europa und
Nordamerika glaubten einige Menschen lange Zeit, dass
vielfältige Formen des demokratischen, wirtschaftlichen
und leistungsorientierten Wettbewerbs die beste Alternative zur Einsetzung der Herrscher durch Erbe oder Weihe
darstellen. Doch selbst in Ländern, die nie von der Roten
Armee besetzt oder von lateinamerikanischen Populisten

beherrscht wurden, können Demokratie und Marktwirtschaft unbefriedigende Ergebnisse zeitigen, vor allem wenn sie ungenügend beaufsichtigt werden, wenn niemand den Aufsehern vertraut oder wenn die Bürger von sehr unterschiedlichen Ausgangspositionen aus in den Wettbewerb eintreten. Die Verlierer werden immer früher oder später den Wert des Wettbewerbs selbst infrage stellen.

Mehr noch, das Wettbewerbsprinzip mag zwar Talente fördern und den Aufstieg ermöglichen, doch es bietet keine Antwort auf die tieferen Fragen nach nationaler oder persönlicher Identität. Es lässt den Wunsch nach Einheit und Harmonie unbefriedigt. Und vor allem lässt es den Wunsch einiger Menschen nach der Zugehörigkeit zu einer besonderen, einzigartigen oder gar überlegenen Gemeinschaft unbefriedigt. Das ist nicht nur in Polen, Ungarn, Venezuela oder Griechenland ein Problem. Selbst die ältesten und stabilsten Demokratien der Welt sind davor nicht gefeit.

*

Ich lernte Boris Johnson vor langer Zeit an einem Abend in Brüssel kennen. Ich befand mich in Begleitung meines Mannes, eines Studienfreundes von Johnson. Wobei es das Wort »Freund« wohl nicht ganz trifft. Beide waren Mitglieder des Bullingdon Club, einer einzigartigen Institution der Universität Oxford, die in der nostalgischen Ära der 1980er Jahre von *Wiedersehen mit Brideshead* neues Leben erhielt, als Merchant und Ivory *Hitze und Staub* verfilmten und Prinzessin Diana in der Kathedrale von St Paul's heiratete. Ich weiß nicht, ob die Mitglieder des Clubs einander als Freunde bezeichnen würden: Sie waren Rivalen und

Trinkkumpane, aber ich vermute, dass sie sich in rauen Zeiten nicht beieinander ausgeweint hätten.

Hätte er mit Johnson und David Cameron nicht zwei Premierminister und obendrein einen Finanzminister hervorgebracht, dann wäre der Club nach dem Ende der Merchant-Ivory-Ära und der Scheidung von Lady Di und Prince Charles wohl wieder in der wohlverdienten Vergessenheit versunken. Selbst in den 1980er Jahren zeigte er Anzeichen, zu seiner eigenen Parodie zu verkommen, nachdem er schon ein halbes Jahrhundert zuvor in Evelyn Waughs *Verfall und Untergang* verspottet worden war. Der Roman aus dem Jahr 1928 beginnt mit einer berühmten Beschreibung der Jahresversammlung des »Bollinger Club«:

Ein schrillerer Ton war jetzt in Sir Alistairs Zimmern zu vernehmen; wer sie gehört hat, fährt bei der Erinnerung daran zusammen; es ist der Klang von englischen Landfamilien, die nach Scherben brüllen.[34]

Einige von Johnsons Kumpanen schämen sich heute, wie ich sicher weiß, Mitglied des Bullingdon gewesen zu sein, mit seiner Dandyuniform aus Frack, gelber Seidenweste und blauer Fliege, seinen in Champagner ertränkten Sitzungen, bei denen regelmäßig Scheiben und Möbel zu Bruch gingen, und mit seinen prätentiösen oder doch eher prätendierten Verbindungen zum alten Adel. Andere erinnern sich an die Zeit eher als an eine Art ausgedehnten Witz, und zu denen gehören auch mein Mann und Johnson. Von wenigen Ausnahmen abgesehen waren die Mitglieder keine Aristokraten, und wenn doch, dann keine der vornehmeren Vertreter. Johnson selbst ist Sohn eines EU-Bürokraten und in Brüssel aufgewachsen. Radek war aus dem kommunistischen Polen geflohen, doch er hatte einen britischen Sinn für Humor. Die beiden spielten mit den überkommenen Formen der britischen Klassengesellschaft und schlüpften in Rollen, weil sie ihren Spaß daran hatten. Sie genossen Bullingdon nicht trotz Waughs grimmiger Parodie, sondern genau deshalb.

Als wir Johnson zum Abendessen trafen, war er Brüssel-Korrespondent des *Daily Telegraph,* der Hauszeitung der britischen Konservativen. Nach ein paar Jahren hatte er sich bereits einen Namen gemacht. Seine Spezialität waren amüsante Geschichten, die um ein wahres Körnchen (und manchmal weniger) herumgesponnen waren und sich über die Europäische Union mokierten, die er gern als unerschöpflichen Born des Regulierungswahns darstellte. Seine Artikel trugen Titel wie »Gefahr für das britische Frühstückswürstchen« und traten (falsche) Gerüchte breit, nach denen die Eurokraten Doppeldeckerbusse oder Kartoffelchips mit Krabbencocktailgeschmack verbieten wollten. Auch wenn Insider darüber lachten, verfehlten die Märchen doch ihre Wirkung nicht. Andere Chefredakteure verlangten ähnliche Geschichten von ihren Brüssel-Korrespondenten, und die Boulevardpresse tat alles, um auch ein Stück vom Kuchen abzubekommen. Jahr für Jahr trugen diese Geschichten dazu bei, das Misstrauen gegen die Europäische Union zu schüren, das schließlich viele Jahre später den Weg zum Brexit ebnete. Johnson wusste um die Wirkung seiner Artikel und genoss sie. »Ich habe sozusagen Steine über die Gartenmauer geworfen, und dann vernahm ich dieses irrsinnige Klirren der Treibhausfenster drüben in England«, erzählte er Jahre später in einem außergewöhnlich offenherzigen Interview mit der BBC: »Alles, was ich aus Brüssel geschrieben habe, hatte diese erstaunliche, explosive Wirkung auf die Tories, und das hat mir so ein komisches Gefühl von Macht vermittelt.«[35]

Mit dem »irrsinnigen Klirren« in London ließen sich auch Zeitungen verkaufen, weswegen auch Johnson so lange mit Gelächter geduldet wurde. Aber es gab noch einen tieferen Grund: Die nicht ganz korrekten Geschichten sprachen die Instinkte eines nostalgischen Typs von konservativen Lesern und Redakteuren des *Daily Telegraph,* des *Sunday Telegraph* und der damit verschwisterten Zeitschrift *Spectator* an, die damals alle dem kanadischen Unternehmer Conrad Black gehörten. Diese Welt kannte ich nur zu gut. Ich habe früher Meinungsartikel für den *Daily Telegraph* und den *Sunday Telegraph* geschrieben und war von 1992 bis 1996 stellvertretende Chefredakteurin des *Spectator.* Die Zeitschrift hatte ihre Redaktion damals in einem schäbigen Gebäude an der Doughty Street, das seit Jahrzehnten nicht mehr renoviert worden war. Doch unsere Sommerfeste und ausgiebigen Lunches lockten eine exzentrische Vielfalt von Gästen an, von Alec Guinness über Clive James und Auberon Waugh (Evelyns Sohn) bis zur Herzogin von Devonshire.

Jedes Gespräch und jede Redaktionssitzung wurde damals mit einem Augenzwinkern geführt, jede professionelle Unterredung war amüsant, Ironie und Witz rissen nie ab. Selbst todernste Artikel brauchten einen witzigen Titel. An einen erinnere ich mich wegen der Verbindung zu Polen: »Danzing auf dünnem Eis«. Es war ein ungewöhnlicher Moment in der Geschichte, in dem jemand wie Enoch Powell, ein konservativer Einwanderungsgegner einer früheren Generation, zugleich ein gelegentlicher Gast beim Lunch, eine verehrte Autorität und eine Zielscheibe des Spotts sein konnte. Am Tisch wetteiferten konservative

Journalisten und MPs darum, der beste Enoch-Imitator zu sein. Vielleicht tun sie das noch heute.

Es wäre grundfalsch zu behaupten, der *Spectator*-Zirkel habe nostalgisch dem Britischen Empire nachgehangen. In den 1990er Jahren wünschte sich niemand Indien zurück, genauso wenig wie heute. Dennoch herrschte eine gewisse nostalgische Stimmung nach einer Welt, in der England den Ton angab. Vielleicht trifft es das Wort »Nostalgie« auch nicht ganz, denn meine Freunde im und um den *Spectator* waren nicht der Ansicht, dass sie in die Vergangenheit zurückblickten. Sie glaubten, dass England immer noch in der Lage war, den Ton anzugeben, ob im Handel, in der Wirtschaft oder der Außenpolitik – wenn nur die Politiker den Stier beherzt bei den Hörnern packen würden.

Das war es wohl auch, was ihnen an Margaret Thatcher imponierte: die Tatsache, dass sie hinaus in die Welt gehen und Dinge zuwege bringen konnte. Es gefiel ihnen, wie sie ihre Handtasche nach den Europäern schwang, Beitragskürzungen verlangte und eine Kampftruppe entsandte, um die Falklandinseln zurückzuholen. Einige ihrer Erfolge waren rein symbolischer Natur oder nicht sonderlich sinnvoll – die Falklands sind eine Inselgruppe, an die seit Kriegsende kaum jemand Gedanken verschwendet hat –, doch es war die Art, mit der sie die Stirn bot, und die Entschlossenheit, zu bestimmen und nicht nur zu verhandeln, mit der sie sich Bewunderung erwarb.

Damals meinte ich, auch meine Freunde seien daran interessiert, Demokratie und Marktwirtschaft nach ganz Europa zu tragen, und vielleicht waren sie das ja auch. Thatcher glaubte jedenfalls daran. Die Auseinandersetzung mit dem Kommunismus war ein Krieg, und sie trug rhetorisch und strategisch dazu bei, ihn zu gewinnen. Der europäische

Binnenmarkt, diese riesige Freihandelszone, in der Regulierungen vereinheitlicht wurden, um die Produktion und den Austausch von Waren über den gesamten Kontinent reibungslos zu gestalten, entsprach ganz den Vorstellungen Margaret Thatchers und entstand unter intensiver Mitwirkung der britischen Diplomatie. Es ist eines der umfassendsten Freihandelsabkommen aller Zeiten, weshalb sich die protektionistische Linke Europas ihm ja auch immer so vehement widersetzt hat.

Inzwischen vermute ich jedoch, dass es den nostalgischen Konservativen weit weniger um »Demokratie« als internationales Anliegen ging, sondern mehr um den Erhalt einer Welt, in der England weiterhin eine privilegierte Rolle spielte. Eine Welt, in der England nicht nur eine Regionalmacht wie Frankreich oder Deutschland war, sondern eine Welt, in der England etwas Besonderes ist – und vielleicht sogar über den anderen steht. Das war auch der Grund, warum viele der nostalgischen Konservativen dem Binnenmarkt misstrauten, zu dessen Aufbau Großbritannien so viel beigetragen hat. Die Vorstellung, dass England, das einzige europäische Land, das sich nach dem Zweiten Weltkrieg wirklich als Siegermacht fühlen durfte – das Land, das nie erobert wurde, das nie kapituliert hat, das von Anfang an auf der richtigen Seite stand –, zu Beginn des 21. Jahrhunderts seine Gesetze nur in Abstimmung mit anderen europäischen Ländern verabschieden konnte, war einfach unerträglich. Und ich meine ausdrücklich England, nicht Großbritannien. Auch wenn die Briten in den 1990ern noch gegen die IRA in Belfast kämpften und meine konservativen Freunde sich als »Unionists« bezeichneten, blühte der englische Nationalismus längst neben dem schottischen, der schließlich eine Teilautonomie Schottlands erreichen und später die Unabhängigkeit anstreben sollte.

Im Rückblick ist klar, dass vieles von dem, was meine Freunde damals über den Binnenmarkt sagten und schrieben, genauso überspannt war wie Johnsons Kolumnen im *Telegraph*. Niemand in der EU zwang Großbritannien Regeln auf: Europäische Richtlinien werden ausgehandelt, und jede einzelne wurde von britischen Diplomaten und Abgeordneten abgesegnet. Das Vereinigte Königreich behielt zwar nicht in jeder Auseinandersetzung die Oberhand, doch es gab auch keine »Brüssler Mafia«, die das Land knechtete. Das wollen viele zwar nicht hören, doch der Binnenmarkt hat zahlreiche Vorteile, auch wenn die Briten nicht jeden Streit für sich entschieden. Er machte Großbritannien zu einem der stärksten Akteure im stärksten Wirtschaftsbündnis der Welt, er verstärkte Großbritanniens Stimme im Welthandel, und vor allem war er gut für britische Unternehmer. Mit seinem Erfolg war er ein Magnet für die neuen Demokratien Osteuropas und trug dazu bei, den ehemals kommunistischen Ostblock in ein vereintes Europa zu holen. Doch am Ende wog keiner dieser Vorteile so schwer wie die lästige Notwendigkeit, sich mit anderen Europäern auf Regelungen verständigen und gelegentlich Kompromisse eingehen zu müssen.

Merkwürdig, dass dieselben Leute nur allzu gern bereit waren, mit den Vereinigten Staaten eine Partnerschaft einzugehen, und sei es als ausgesprochener Juniorpartner. Das mag auch daran liegen, dass die USA ein englischsprachiges Land sind und ihre historischen Wurzeln in Großbritannien haben. Oder dass die Vereinigten Staaten im Gegensatz zu Frankreich oder Deutschland eine echte Weltmacht sind und dieser Ruhm ein wenig auf das Vereinigte Königreich zurückfärbte und seinen Politikern schmeichelte. »Wir sind für sie, was die Griechen für die Römer waren«, sagte der einstige konservative Premierminister Harold Macmillan in den 1960er Jahren selbstzufrieden.[36] Bis heute schwadronieren die Briten gern von der »besonderen Beziehung« zwischen den Vereinigten Staaten und dem Vereinigten Königreich, wobei dieser Begriff vor allem in London gern verwendet wird, während man in Washington kaum je davon hört. Torygranden konnten sich über die Politik der Vereinigten Staaten mokieren und auf ihre Populärkultur herunterblicken. Auch an der US-Außenpolitik äußerten sie hinter vorgehaltener Hand ihre Vorbehalte. Graham Greenes Roman *Der stille Amerikaner*[37] mit seinem so liebevollen wie grausamen Porträt eines übereifrigen amerikanischen Idealisten in Vietnam ist vielleicht der beste Ausdruck dieser widersprüchlichen Haltung. Dennoch waren die Vereinigten Staaten natürlich ein starker, ein globaler und damit ein angemessener Partner für die außergewöhnlichen Engländer. Wenn die Amerikaner die Demokratie in die Welt tragen wollten, dann mochten ihnen die Engländer nur zu gern zur Seite stehen.

Als ich Anfang der 1990er Jahre nach London kam, wurde ich rasch Ehrenmitglied in der Welt der nostalgischen Konservativen, was vielleicht daran lag, dass ich die Allianz mit den Amerikanern verkörperte, die damals in Mode war. Ich hatte einige Jahre lang in Polen gelebt und über das Ende des Kommunismus sowie die Politik der postkommunistischen Welt geschrieben. Ich war auch eine nützliche Kontrastfigur, ich war die ernsthafte Ausländerin und wollte meine englischen Kollegen immerzu dazu bringen, mit ihren Späßchen aufzuhören und über schwierige Länder wie China und Russland zu schreiben (»Wir brauchen etwas Ernsthaftes zu dem Thema: Lasst Anne das mal machen«). Vom strittigen Thema UK-EU hielt ich mich fern, da waren andere viel leidenschaftlicher bei der Sache. Einmal fuhr ich nach Brüssel, um über die Europaabgeordneten der Konservativen zu schreiben, und lernte sie als bestens informierte und äußerst gewissenhafte Parlamentarier kennen. Doch je erfolgreicher ihre Arbeit – je effektiver sie Europa und seine demokratischen Institutionen reformierten und voranbrachten –, umso unbeliebter machten sie sich in ihrer eigenen Partei. »Wenn Sie einen Tory quälen wollen, dann machen Sie ihn zum Europaabgeordneten«, schloss ich. Schon damals verlief in der Partei ein Graben zwischen denen, die die Europäische Union besser und demokratischer machen wollten, und denen, die einfach nur rauswollten.

Johnson, der wie ich in den Vereinigten Staaten zur Welt gekommen und amerikanischen Vorstellungen gegenüber sehr offen war, blühte in dieser etwas verschlafenen und exzentrischen Welt auf. Er war einer der wenigen Stars und stets in der Lage, an einem Tag einem öden Europagipfel etwas Witziges abzugewinnen und am nächsten das Publikum einer Fernseh-Quizshow zu unterhalten. Aber irgendwann suchten wir beide nach anderen Betätigungsfeldern. Ich ging 1997 zurück nach Polen und schrieb Geschichtsbücher, und Johnson kandidierte für das Parlament. Später wurde er Bürgermeister von London, aber auch das langweilte ihn schon bald. 2013 sagte er in einem Interview, er sei zu weit weg vom britischen Unterhaus, wo sich das eigentliche Geschehen abspiele: »Ich bin so abgeschnitten. Ich fühle mich wie Oberst Kurtz. Ich bin den Fluss rauf«, sagte er, nur um dann eilig hinzuzufügen, dass das wirklich das Einzige sei, was er mit dem psychopathischen Antihelden von *Apocalypse Now* gemein habe.[38] In demselben Interview bemühte er einen Vergleich mit dem Rugby. Er sagte, er wolle sich nicht aktiv um die Parteiführung bemühen, aber »wenn der Ball im Getümmel frei wird«, dann hätte er nichts dagegen, danach zu greifen.

Seither haben sich viele Menschen über Johnsons alles verzehrende Selbstliebe und seine gleichermaßen bemerkenswerte Faulheit verbreitet. Sein Hang zu Lügengeschichten ist ebenfalls bestens bekannt. Zu Beginn seiner journalistischen Laufbahn wurde er von der Londoner *Times* gefeuert, weil er Zitate erfunden hatte, und aus dem Schattenkabinett flog er 2004, weil er gelogen hatte. Hinter seiner gut einstudierten Aura der Hilflosigkeit verbirgt sich auch ein grausamer Zug: Johnson zerstörte zwei Ehen – die zweite hatte immerhin ein Vierteljahrhundert gehalten – und das Leben zahlreicher anderer Frauen mit einer Reihe ungewöhnlich dreister öffentlicher Affären.

Aber es ist auch nicht von der Hand zu weisen, dass er über ein geradezu unheimliches Charisma verfügt, eine geniale Gabe, Menschen für sich einzunehmen und zu beruhigen, und dass er ein intuitives Gespür für die Stimmung in der Bevölkerung hat. Nachdem wir uns einige Jahre lang nicht gesehen hatten, liefen wir uns in der Londoner City in die Arme. Er war seinerzeit Bürgermeister und mit dem Fahrrad unterwegs. Ich winkte ihm zu, er hielt an, freute sich über die Zufallsbegegnung und schlug vor, in einen Pub zu gehen. Als wir die Tür aufstießen, murmelte er etwas in der Art von »O nein, ich hatte ganz vergessen, dass das passiert«, als uns Menschen umringten und Selfies mit ihm machen wollten. Er lächelte in ein paar Handys, dann setzten wir uns an einen Tisch und plauderten, und als er wieder aufstand, wiederholte sich das Spiel.

Zwei weitere Begegnungen mit Johnson sind mir im Gedächtnis geblieben, auch aus seiner Zeit als Bürgermeister von London. 2014 hörte ich eine Rede von ihm über das antike Athen. Anders als die meisten seiner spontanen Äußerungen war dieser Vortrag kohärent, vielleicht weil er ihn vorab niedergeschrieben hatte. Mit einem Glas Rotwein in der Hand rühmte er Athen und sprach von seiner »Kultur der Freiheit, Offenheit und Toleranz, geistiger Experimentierfreude und Demokratie«.[39] Das verglich er mit dem London von heute. Sparta mit seiner harschen, konformistischen und militaristischen Kultur habe dagegen, wie von Perikles vorhergesehen, keine eleganten Monumente hinterlassen. Er warnte vor den neuen Spartanern und sprach von der »globalen Herausforderung für die demokratischen Freiheiten«, wie sie die neuen Autokraten verkörperten. Die Zuhörer applaudierten aufrichtig bewegt.

Etwa zur selben Zeit traf ich mich mit Johnson und ein paar anderen zum Abendessen, und wir unterhielten uns über ein mögliches Referendum über die britische Mitgliedschaft in der Europäischen Union, das damals in der Luft lag. »Niemand will ernsthaft raus aus der EU«, sagte er. »Die Unternehmen nicht. Die City [der Londoner Finanzbezirk] nicht. Dazu wird es nicht kommen.« Das sagte er als liberaler Bürgermeister einer modernen und multikulturellen Weltmetropole, die ihre Blüte den engen Beziehungen mit dem Rest der Welt verdankt.

Doch beim Referendum trat er für den Austritt Großbritanniens aus der Europäischen Union ein. Er unterstützte den Brexit mit derselben Unbekümmertheit und Gleichgültigkeit gegenüber den Folgen, die er in seiner journalistischen Arbeit und seinem Privatleben an den Tag gelegt hatte. Er machte Witzchen und erzählte Geschichten. Er ging davon aus, dass die Brexit-Befürworter verlieren würden. An den Premierminister David Cameron schickte er eine SMS: »Brexit wird platt gemacht wie eine Kröte von der Egge.«[40] Aber mit seiner Unterstützung für den Brexit wollte er der Held der euroskeptischen Tories werden, die er mit seinen Artikeln herangepäppelt hatte. In gewisser Hinsicht ging seine Rechnung auf, wenn vielleicht auch anders, als von ihm erwartet.

Unter »normalen« Umständen – in einer Welt ohne Brexit – wäre Johnson wohl nie Premierminister geworden. Die Partei hatte mit David Cameron einen gemäßigten Mann der Mitte an ihre Spitze gestellt, der die Konservativen nach einigen zornigen Vorsitzenden entgiften sollte, und sie hätte sich wohl nie für einen derart riskanten Mann wie Johnson mit seiner Vorgeschichte an Entgleisungen, Rausschmissen und Sex-Skandalen entschieden. Johnson wählte sie nur an die Spitze, weil ihr nichts anderes mehr übrig blieb. Im Rugby-Getümmel hatte Johnson den Ball an sich gerissen.

Die Ratlosigkeit begann gleich nach dem Referendum im Jahr 2016, dessen Ergebnis mich nicht überraschte. Einige Abende vor der Abstimmung war ich auf einer Dinnerparty, auf der alle Gäste ihre Prognose abgaben und dem Gewinner eine Kiste Wein winkte. Ich tippte darauf, dass »Leave«, wie die Brexit-Befürworter ihre Kampagne nannten, mit 52 zu 48 Prozent gewinnen würden. Und so kam es dann auch. Ich brachte es allerdings nicht übers Herz, meinen Gewinn abzuholen, denn der Gastgeber hatte aufseiten der »Remain«-Kampagne für den Verbleib in der Europäischen Union gekämpft und war am Boden zerstört. Aber auch die Konservativen waren verblüfft. Die Parteiführung, die Lords, die führenden Abgeordneten, die

Brexit-Befürworter und -Gegner – sie alle waren nicht im Geringsten darauf vorbereitet, auch nur über einen Austritt aus der Europäischen Union nachzudenken, einer Organisation, die seit den 1970er Jahren die britische Wirtschaft, die britische Diplomatie und die britische Rolle in der Welt geprägt hatte. Auch Johnson war überrascht.

Bis 2019 hatte sich die Situation dramatisch zugespitzt: Die Tories hatten drei Jahre unter der katastrophalen Führung von Theresa May hinter sich – auch sie jemand, die unter normalen Umständen niemals Premierministerin geworden wäre. Binnen kürzester Zeit machte sie die schlimmsten Befürchtungen wahr und beging eine Reihe unverzeihlicher Fehler. Sie löste Artikel 50 aus, einen juristischen Mechanismus zum Austritt aus der Europäischen Union, mit dem eine Frist von zwei Jahren zu ticken begann, und das ohne eine Vorstellung davon, was der Brexit eigentlich genau bedeutete. Im Jahr 2017 setzte sie ohne jeden Zwang Neuwahlen an und verlor die Mehrheit. Schlimmer noch, sie gab den Rahmen für die verheerende Brexit-Debatte vor. Zunächst einmal hätte May sehen können, dass die Abstimmung sehr knapp ausgegangen war, dass die politischen und wirtschaftlichen Bande Großbritanniens mit Europa sehr stark waren und dass ein »intelligenter« Brexit vonnöten war. Und kein »törichter«, nach dem Großbritannien hätte im Binnenmarkt bleiben können, wie es den britischen Interessen entsprach, oder zumindest eine Zollunion anstreben können.

Stattdessen polarisierte sie mit ihrem Gerede vom »harten« und »weichen« Brexit, entschied sich für Ersteren und beschloss, nicht nur die Europäische Union zu verlassen, sondern auch eine Zollunion auszuschlagen. Alle, die sich wünschten, dass Großbritannien in Zukunft mit lauterer Stimme auf der Weltbühne sprach, applaudierten.

Doch diese Entscheidung brachte neue Probleme an der Grenze zwischen Nordirland und der Republik Irland mit sich, und das just in einem Moment, in dem die englischen Konservativen das Interesse an Belfast verloren hatten. Da beide Teile Irlands in der Europäischen Union waren, gab es de facto keine Grenze mehr. Die Regierung der Republik Irland, mit Rückendeckung durch die Europäische Union, weigerte sich, eine neue Grenze zu akzeptieren, mit der Folge, dass nun entweder ganz Großbritannien in einer Art Zollunion mit der Europäischen Union bleiben musste oder dass in Nordirland andere Regeln gelten mussten als im übrigen Großbritannien.

Jede dieser beiden Lösungen war für irgendjemanden unannehmbar. Das Gezerre zog sich über Monate hin. Ohne irgendwen zu konsultieren, ohne die Zustimmung anderer Parteien zu suchen und unter Zurschaustellung eines erbärmlichen Mangels an politischem Geschick legte Theresa May dem Parlament dreimal dieselbe Brexit-Vereinbarung vor, wurde dreimal abgeschmettert, verschob den Brexit zweimal und trat schließlich zurück.

Die Konservativen brachen ein und wurden bei den Wahlen zum Europaparlament im Mai 2019 nahezu ausgelöscht. Nur vier einsame, noch immer gequälte konservative Europaparlamentarier blieben übrig. Die Partei brauchte einen neuen Führer, der die verschiedenen Flügel einen, den Brexit zu Ende bringen und Wähler zurückgewinnen konnte. Und sie brauchte jemanden, der Geschichten erzählen, sie zum Lachen bringen und ihnen das Gefühl der englischen Überlegenheit wiedergeben konnte. Also entschieden sie sich für den Joker.

★

Nostalgie, so schrieb die russische Künstlerin und Essayistin Svetlana Boym in ihrem eleganten Buch über die Zukunft der Nostalgie, kann zwei Formen annehmen. Da ist zum einen die »reflexive« Nostalgie der Emigranten und Ästheten, die Nostalgie der Sammler von vergilbten Briefen und Fotos, die Nostalgie von Menschen, die sich gern alte Kirchen ansehen, ohne je den Gottesdienst zu besuchen.[41] Reflexive Nostalgiker vermissen die Vergangenheit und träumen von ihr. Einige beschäftigen sich mit ihr und weinen ihr nach, vor allem ihrer persönlichen Vergangenheit, aber das bedeutet nicht, dass sie sich in die Vergangenheit zurückwünschen. Vielleicht weil sie tief im Inneren wissen, dass das alte Heim verfallen oder durch Luxussanierung kaputt restauriert ist, oder weil sie im Stillen einsehen, dass es ihnen sowieso nicht mehr gefallen würde. Es war einmal, da war das Leben einfacher und schöner, aber es war auch unsicherer oder langweiliger oder ungerechter.

Boym stellt diesen reflexiven die restaurativen Nostalgiker gegenüber. Dabei handelt es sich um Menschen, die sich oft selbst gar nicht als Nostalgiker begreifen. Restaurative Nostalgiker geben sich nicht damit zufrieden, alte Fotos anzusehen und Familienstammbäume zu rekonstruieren. Sie sind Mythenschöpfer und Architekten, sie errichten Denkmäler und rufen nationalistische Bewegungen ins Leben. Sie wollen nicht über die Vergangenheit nachsinnen oder aus ihr lernen. Sie wollen »die verlorene Heimat wiederaufbauen und die Erinnerungslücken füllen«, so Boym. Viele erkennen ihre eigenen Fiktionen über die Vergangenheit nicht als das, was sie sind: »Sie glauben, bei ihrem Projekt gehe es um die Wahrheit.« Sie haben kein Interesse an einem detailscharfen Bild der Vergangenheit, einer Welt, in der große Führer oft große Mängel und

militärische Erfolge tödliche Nebenwirkungen hatten. Sie
wollen nicht wahrhaben, dass die Vergangenheit auch ihre
Schattenseiten gehabt haben könnte. Sie wünschen sich
eine plakative Geschichte, und vor allem wollen sie jetzt in
ihr leben. Sie wollen nicht zum Spaß in Rollen der Vergangenheit schlüpfen, sondern sie wollen so leben, wie es
ihre Vorfahren ihrer Ansicht nach getan haben, ohne jede
ironische Distanz.

Es ist kein Wunder, dass diese restaurative Nostalgie oft
Hand in Hand mit Verschwörungstheorien und mittelgroßen Lügen geht. Sie müssen nicht so krass oder verrückt
sein wie die Theorie der Verschwörung von Smolensk
oder von George Soros. Es reicht schon, wenn sie ein paar
Sündenböcke benennt, ohne gleich eine komplette Paral-
lelwelt zu erschaffen. In der einfachsten Version bietet die
restaurative Nostalgie eine Erklärung: Unser Land ist nicht
mehr groß, weil jemand uns angegriffen, sabotiert und
die Kraft genommen hat. Jemand – seien es die Zuwanderer, die Ausländer, die Eliten oder in der Tat die Europäische Union – hat den Lauf der Geschichte geändert
und das Land zu einem Schatten seines früheren Selbst
gemacht. Diese Identität, die wir einst hatten, wurde uns
genommen und durch ein billiges Imitat ersetzt. Wer auf
dem Rücken der restaurativen Nostalgie an die Macht
strebt, wird irgendwann damit anfangen, Verschwörungstheorien, alternative Geschichten oder alternative Flunke-
reien zu kultivieren, ob sie eine Faktenbasis besitzen oder
nicht.

Die restaurative Nostalgie ist mit anderen Emotionen
verwandt. Der deutsch-amerikanische Historiker Fritz Stern
(selbst ein Migrant, dessen jüdische Familie 1937 von Bres-
lau nach New York auswanderte) beschrieb ein ähnliches

Phänomen, das er als »Kulturpessimismus« bezeichnete.[42] In seinem allerersten Buch, das in den 1960er Jahren erschien, skizziert er die Biografien von deutschen Intellektuellen des 19. Jahrhunderts und beschreibt, wie sie unter den gesellschaftlichen, politischen und wirtschaftlichen Umwälzungen ihrer Zeit litten. Einer davon ist der wenig bekannte Kunsthistoriker Julius Langbehn, dessen Buch *Rembrandt als Erzieher* so beginnt:

> Es ist nachgerade zum öffentlichen Geheimnis geworden, daß das geistige Leben des deutschen Volkes sich gegenwärtig in einem Zustande des langsamen, einige meinen auch des rapiden Verfalls befindet. Die Wissenschaft zerstiebt allseitig in Spezialismus; auf dem Gebiet des Denkens wie der schönen Literatur fehlt es an epochemachenden Individualitäten. ... Ohne Frage spricht sich in allem diesem der demokratisierende nivellierende atomisierende Geist des Jahrhunderts aus.[43]

Das Buch Langbehns über den niederländischen Maler, das 1890 erschien, war weder eine Biografie noch eine Kritik, sondern ein quasi-philosophisches Traktat oder eine lange Streitschrift. Nach Ansicht von Langbehn verkörperte Rembrandt ein Ideal, die höchste Form des Lebens, der Kunst und des Individualismus. Und er verkörperte etwas, das seither verloren ging: Im Vergleich zu Rembrandt seien moderne Menschen, allen voran die Deutschen, Zwerge ohne jede Beziehung zu ihrer Geschichte und zu ihrem Boden. Sie seien »Demokraten« im abwertenden Sinne: Menschen von der Stange ohne Ideale, ohne Träume, ohne Talent.

Auch den führenden Denkern seiner Zeit traute Langbehn nicht viel zu. Er fand keinen Gefallen an Wissenschaft, Technik und Moderne. Er wollte Kunst, Spontaneität und eine authentischere Existenz, wie er sie in Rembrandt sah. Er hatte etwas gegen Juden, vor allem weltliche Juden, die seiner Ansicht nach »keine Religion, keinen Charakter, keine Heimat« hatten. Doch das war gar nicht sein eigentliches Thema. Sein Buch ist durchtränkt von einer nostalgischen Sehnsucht nach einer anderen und besseren Zeit, als Menschen aktiv waren und große Führer der Welt ihren Stempel aufdrückten. So wirr das Buch geschrieben war und so wenig es mit Rembrandt zu tun hatte, wurde *Rembrandt als Erzieher* doch zum Bestseller. Im sich rasch industrialisierenden Deutschland des ausgehenden 19. Jahrhunderts brachte es eine Saite zum Klingen und nährte eine Woge der restaurativen Nostalgie lange vor der massenhaften Gewalt des Ersten Weltkriegs und der demütigenden Niederlage.

Irgendwann zwischen den 1990er und 2010er Jahren wurde eine Reihe nachdenklicher britischer Tories – Journalisten, Schriftsteller sowie einige Politiker – von einem ähnlichen Kulturpessimismus erfasst, wie ihn Stern bei Langbehn ausmachte. Es begann schon lange vor der Brexit-Abstimmung. Ich würde es auf das Ende der Thatcher-Ära und des Kalten Krieges datieren, das für Großbritannien eine bedeutendere Wende darstellte, als man seinerzeit absehen konnte. Die Konfrontation mit dem Kommunismus hatte den britischen Konservativen die Möglichkeit gegeben, an der Seite der amerikanischen Verbündeten einen sehr erfolgreichen moralischen Kreuzzug zu führen. Als 1989 die Berliner Mauer fiel und sich die kommunistischen Staaten auflösten, fühlten sie sich bestätigt. Kalte

Krieger waren nicht beliebt gewesen, sie wurden von der Linken aufs Korn genommen, auch von ihren Kollegen an der Universität, in der Presse wie in der Politik verspottet. Aber sie waren ihren Überzeugungen treu geblieben. Jetzt lag der Beweis vor, dass Thatcher doch recht hatte. Gemeinsam hatten sie gegen alle gekämpft, die sich vom Kommunismus hatten blenden lassen, und sie hatten gewonnen.

Doch nachdem sich die erste Freude gelegt hatte, standen sie vor dem Nichts. Im Vergleich dazu schienen alle anderen Ziele unbedeutend und glanzlos. Premierminister John Major, der auf Thatcher folgte und sieben Jahre im Amt blieb, spielte neben dem US-Präsidenten George H. W. Bush eine entscheidende Rolle bei der Einigung Europas. Doch obwohl Major die Art von Aufsteiger war, wie sie die nostalgischen Konservativen angeblich bewunderten, und obwohl er rührselig von der englischen Vergangenheit sprach, konnten sie ihn nicht ausstehen. Es mag auch Snobismus im Spiel gewesen sein, denn Major hatte nicht studiert. Aber sie mochten ihn auch deshalb nicht, weil er sich im Gegensatz zu Thatcher nicht an die Spitze eines moralischen Kreuzzugs stellte. Er propagierte keine Wirtschaftsreform und forderte keinen revolutionären Umbruch. Nach den Turbulenzen der Thatcher-Jahre reichte es ihm, mit ruhiger Hand zu regieren, aus der konservativen Mitte heraus und in Zusammenarbeit mit den europäischen und amerikanischen Verbündeten. Er war beliebt genug, um 1992 wiedergewählt zu werden, doch die Leute, die seine intellektuelle Basis hätten sein sollen, waren nicht voller Bewunderung für ihn. Bei Conrad Blacks Wahlparty im Savoy Hotel löffelten die konservativen Zeitungsleute und Geldgeber mit lauer Begeisterung ihre Austern, nippten am Champagner und brachten murmelnd ihr Erstaunen zum Ausdruck.

Als Labour-Kandidat Tony Blair vier Jahre später zum Premierminister gewählt wurde, verschwanden die reflexiven Nostalgiker der Tories noch weiter im Schatten. Blair war in vieler Hinsicht Margaret Thatchers wichtigster Schüler, wie Thatcher-Biograf Charles Moore meint.[44] Er erkannte die Notwendigkeit der Marktwirtschaft, ging eine Partnerschaft mit den Vereinigten Staaten ein, führte Labour in die Mitte und hielt sie zwölf Jahre lang an der Macht. Doch er brachte kein Quäntchen Nostalgie mit. Die vermeintliche Sonderrolle Englands war ihm egal. Stattdessen unterstrich er seine Modernität, begrüßte gesellschaftliche Veränderungen, förderte die wirtschaftliche Einbindung Großbritanniens in Europa und der Welt und dezentralisierte die Macht, indem er die Einrichtung von Regionalparlamenten in Schottland und Wales unterstützte und damit das Gewicht Englands in der britischen Politik schwächte. Er stimmte einer Reihe von Kompromissen zu, die den langen Nordirlandkonflikt beilegten. Sein Erfolg beruhte unter anderem darauf, dass Nordiren, die sich »irisch« fühlten, dank der Europäischen Union nun einen irischen Pass bekommen konnten. Mit dieser Verwässerung der Souveränität erreichte er den Frieden.

Für nostalgische Konservative war Blair eine Katastrophe. Die triumphale Stimmung von 1989 wich der dumpfen Wut. Kaum jemand war so wütend wie Simon Heffer, ein brillanter Historiker und Kolumnist, der Anfang der 1990er Jahre mein Vorgänger als stellvertretender Chefredakteur beim *Spectator* war und lange Jahre ein guter und treuer Freund blieb. Heffer, der eine tiefe und aufrichtige Liebe für englische Literatur, für den englischen Film und englische Musik empfindet, nahm mich zu meinem ersten und einzigen Cricket-Match mit und brachte mir die Ealing Comedies näher, eine Serie drolliger literarischer Filme der 1940er und 1950er Jahre aus den Londoner Ealing Studios, die wir bei ihm zu Hause sahen. Ich bin Patin eines seiner Kinder, so wie Ania Bielecka Patin eines meiner Kinder ist. In meiner Zeit beim *Spectator* verlegte er sich auf energische, aber immer noch gut gelaunte Angriffe gegen John Major, Europa und den Zustand des modernen Großbritanniens. Mitte der Nullerjahre, als ich bereits nicht mehr in Großbritannien lebte und ihm nur noch hin und wieder begegnete, war er nach einigen Jahren der Labour-Regierung außer sich vor Zorn. Im Jahr 2006, als es unvorstellbar erschien, dass je wieder ein konservativer Spitzenkandidat gegen die Labour Party siegen würde, schrieb er zum Beispiel:

Dank eines glücklichen Zufalls war ich erst neuneinhalb Jahre alt, als die 1960er Jahre endeten. Ich sage glücklich, denn wenn ich mich im Land umsehe, das von zehn Jahre Älteren regiert wird, die noch immer nicht aus der kiffigen, peace-and-love-seligen, haarigen, hippigen Selbstverliebtheit herausgekommen sind, für die dieses elende Jahrzehnt bekannt ist, dann danke ich Gott, dass ich davon verschont geblieben bin. ... Unsere Regierung aus einstigen Studentenaktivisten ... ist vollkommen gefangen in ihren jugendlichen Vorurteilen und meint, uns in einem fort damit langweilen zu müssen. Mit ihrem Mangel an Weisheit fügen diese Leute der Gesellschaft einen Schaden zu, der genauso groß und zersetzend ist wie die Geißel der Drogen, die sie mit derartiger Achtlosigkeit dulden.[45]

Natürlich ging es nicht um Drogen. Überall um sich her sah er den Niedergang: Die politische Korrektheit nahm genauso überhand wie die Kriminalität. »Der Leistungsgedanke ist unserer Gesellschaft abhandengekommen«, schrieb er, um dann im Geiste Langbehns zu bedauern, dass die Gegenwart keine großen Führungspersönlichkeiten mehr hervorbrachte. Statt der Churchills gab es nur die »kiffige, peace-and-love-selige, haarige, hippige Selbstverliebtheit« der Blair-Partei. Selbst als die Konservativen wieder an die Regierung zurückkehrten, trug dies nichts zur Wiederherstellung seines Vertrauens in die moderne Führung bei. Kurz nach der Wahl von David Cameron zum Parteiführer der Tories schrieb Heffer, Cameron »hatte in seiner gesamten politischen Laufbahn nie auch nur einen Hauch von Prinzipien«.[46] Diesen Satz wiederholte er in verschiedenen Variationen die nächsten sieben Jahren lang, bis zur Kampagne für ein Brexit-Referendum. Er unterstützte den Austritt Großbritanniens aus der Europäischen Union und beschimpfte Cameron einen Monat vor der Wahl als »Lügner«.[47] In diesem Artikel bezeichnete er Großbritannien als »Bananenrepublik« mit wertlosen Institutionen.

So einmalig Heffer in seiner Giftigkeit war, so wenig einmalig war er mit seiner Frustration. Roger Scruton, ein großer konservativer Philosoph und ebenfalls ein alter Freund, schrieb damals ein Buch mit dem Titel *England: An Elegy,* ein bewegendes und elegantes Buch, das noch weit apokalyptischer war als alles, was Heffer je geschrieben hatte. Ich lernte Scruton Ende der 1980er Jahre kennen, als seine Stiftung über Studenten Geld an osteuropäische Dissidenten schickte, und wurde eine seiner Kuriere. Er war ein mutiger Antikommunist, als der Antikommunismus nicht angesagt war. Doch in seiner Elegie auf England geht es um etwas anderes. Scruton beginnt mit der Erklärung, sein Buch sei »eine persönliche Verbeugung vor der Kultur, die mich hervorgebracht hat und die nun aus dieser Welt scheidet«.[48] Es war weder eine Analyse noch eine Geschichte, sondern eine »Grabrede« und »ein Versuch, aus philosophischer Sicht zu verstehen, was wir verlieren, wenn unsere Lebensweise verfällt«. Die folgenden wohlkomponierten Kapitel verbeugen sich vor dem sterbenden oder bereits toten England, wie er es nannte: vor der englischen Kultur, der englischen Religion, der englischen Gesetzgebung und vor dem englischen Charakter. Es ist ein Klassiker der reflexiven Nostalgie und endet mit einem außergewöhnlichen Ausbruch von Kulturpessimismus:

Das alte England, für das unsere Eltern gekämpft haben, wurde auf vereinzelte Parzellen zwischen den Autobahnen reduziert. Der bäuerliche Familienbetrieb mit seiner kleinen und vielfältigen Produktion, der einst das Gesicht Englands prägte, ist nahezu ausgestorben. Die Kleinstädte haben ihr Herz verloren, ihre Zentren sind vernagelt und verschandelt. Die Städte wurden durch riesige Stahlstrukturen getilgt, die nachts inmitten einer Einöde von angestrahltem Beton leer stehen. Der Nachthimmel ist nicht mehr zu sehen und überall hinter einem kränklich-orangen Glühen verborgen. England wird Niemandsland, ein »Anderswo«, verwaltet von Managern, die kurz bei ihren Außenposten vorbeischauen und in internationalen Kettenhotels am Rande der in Flutlicht getauchten Wüsten übernachten.

Mit seiner Liebe zum Landleben, seinem Eintreten für vormoderne Architektur und seinem Glauben an Gemeinschaften und regionale Institutionen hätte sich Scruton genauso gut für die Europäische Union stark machen können, die europäische Regionalprodukte und -marken explizit fördert und schützt und sich für europäische Architektur und Landwirtschaft und damit auch für das Landleben in Europa starkmacht, manchmal auch gegen die Kräfte des Marktes. Er hätte an die Europäische Union appellieren können, dies besser oder mehr davon zu tun. Wie viele andere Europäer hätte er die EU als Schutzwall gegen China, die Vereinigten Staaten und internationale Konzerne und Banken begreifen können, die zunehmend die Welt beherrschen und sich nicht im Geringsten für Scrutons geliebte Kleinstädte interessieren. Aber wie Heffer und viele andere kam er zu dem entgegengesetzten Schluss.

Mit der Zeit wurde die Europäische Union zur fixen Idee der nostalgischen Konservativen. Natürlich war Kritik berechtigt, aber für einige von ihnen wurde »Europa« zur Verkörperung all dessen, was schiefgegangen war, und zur Erklärung für die Zahnlosigkeit der herrschenden Klasse, das Mittelmaß der britischen Kultur, die Hässlichkeit des modernen Kapitalismus und den allgemeinen Mangel an nationalem Elan. Der Zwang, über kleinliche Verordnungen zu verhandeln, hatte das britische Parlament entmannt. Die polnischen Klempner und spanischen Datenverarbeiter, die in Großbritannien arbeiteten, waren nicht etwa Miteuropäer mit einer gemeinsamen Kultur, sondern Fremde, die die Identität des Landes gefährdeten. Im Laufe der Zeit wurden diese Ansichten immer tiefer empfunden, bis sie allmählich tiefe Gräben rissen, Beziehungen zerstörten und Köpfe verdrehten. In einer Rede, die mein Mann 2012 auf einer Konferenz hielt, forderte er Großbritannien auf, nicht nur in der Europäischen Union zu bleiben, sondern eine Führungsrolle zu übernehmen. Die Europäische Union »ist eine englischsprachige Macht. Der Binnenmarkt war eine britische Idee. ... Wenn ihr wolltet, könntet ihr die Verteidigungspolitik Europas bestimmen.« Der Vortrag wurde in der *Times* abgedruckt; Heffer ließ mir einen wütenden Kommentar zukommen. Darauf schrieb ich ihm ein paar zornige Zeilen, und danach wechselten wir lange kein Wort mehr.

Für diejenigen in England – und sie kamen vor allem aus England, nicht aus Schottland, Wales oder Nordirland –, die die Welt durch diese Brille sahen, wuchs sich der Kampf gegen »Europa« allmählich zu einem mythischen Ringen aus, das Erinnerungen an die Vergangenheit weckte. In der Populärkultur war der Zweite Weltkrieg das Schlüsselereignis der modernen Geschichte, und die Brexit-Kampagne passte wunderbar in diese Erzählung. Im Zeitraum zwischen dem Referendum und dem endgültigen Brexit kamen zwei Filme über Churchill und einer über Dunkirk in die Kinos. Andrew Roberts' Churchill-Biografie wurde 2018 zum Bestseller, und Johnsons Biografie des Premiers hatte sich einige Jahre zuvor auch schon gut verkauft. Der konservative Unterhausabgeordnete William Cash, der sich in seiner Arbeit ausschließlich dem Austritt Großbritanniens aus der Europäischen Union widmete, verglich die britische EU-Mitgliedschaft 2016 in einem Interview mit »Appeasement«.[49] In demselben Interview erinnerte er an seinen Vater, der bei der Landung in der Normandie gefallen war, um zu erklären, warum er nicht in einem »von Deutschen geführten Europa« leben wolle. In seiner letzten Kolumne vor der Brexit-Abstimmung beschrieb Heffer die

Europäische Union, eine Organisation, die seit zwei Generationen von Briten mitgeführt wurde, als »ausländische Macht, die unsere Gerichte und unsere gewählte Regierung überstimmt«.[50] Die Brexit-Befürworter bezeichnete er als Vertreter eines »aufwallenden Nationalbewusstseins, wie wir es seit dem Zweiten Weltkrieg nicht erlebt haben«. In Anspielung auf den Geist der Luftschlacht um England erklärte er: »Dies ist unser Moment der Größe.«

Zu diesem Zeitpunkt hatte sich Heffer längst von den Konservativen abgewandt. Schon in den 1990er Jahren sagte er mir, er werde die UK Independence Party wählen, eine Bewegung, die nur ein einziges Thema hatte, nämlich den Austritt der Briten aus der Europäischen Union. Ich weiß nicht, ob das stimmte, ich weiß lediglich, dass ich mich damals wunderte, weil ich nie von der UKIP gehört hatte, die damals noch eine Randerscheinung war. Die UKIP war im Grunde eine Partei der englischen Nationalisten, der es mindestens so sehr um die Auferstehung Englands wie um die »Unabhängigkeit« Großbritanniens ging. Nigel Farage, Gründer und Führer der UKIP, war der Sohn eines Börsenmaklers und wohlhabender Aktienhändler, der gern Tweetjacketts trug, sich beim Bier im Pub fotografieren ließ und allen Ernstes behauptete, er spreche für den Mann von der Straße und gegen die »Elite«. Er war kein Mann von Scrutons elegischer Nostalgie im Stile eines Edmund Burke, sondern nahm Heffers Wut auf die Eliten und verwandelte sie in klingende politische Münze. Er war sicher kein Intellektueller, sondern eher einer von Bendas *clercs,* der sich bei fremden Ideen bedient und diese zu einem politischen Projekt formt. Die Tories verurteilten ihn anfangs, doch als der Stern der UKIP stieg, versuchten sie, ihn zu kopieren.

Der englische Nationalismus hatte bisweilen einen rassistischen Unterton: Definitionsgemäß konnte es zwar schwarze Briten, aber keine schwarzen Engländer geben. Aber es ging gar nicht um die Hautfarbe. Die Vorstellung von »Englishness« grenzte die Iren aus Belfast genauso aus wie die Schotten aus Glasgow und alle anderen vom keltischen Rand der Britischen Inseln. Wenn der Austritt aus der Europäischen Union Großbritannien spalten würde – und diese Möglichkeit war diesen englischen Nationalisten stets bewusst –, dann sei es eben drum. John O'Sullivan, einst Redenschreiber von Margaret Thatcher, war jedenfalls bereit, auch diesen Preis zu zahlen. »O, mag Schottland auch dahinziehen«, sagte er vor einigen Jahren zu mir, »wir machen weiter.«

Für einige war das mögliche konstitutionelle und politische Chaos keine bedauerliche Nebenwirkung, sondern es machte den Brexit noch attraktiver. Mit seinem schwarzen Kapuzenpulli und seiner dunklen Sonnenbrille unterschied sich Brexiteer Dominic Cummings völlig von den nostalgischen Tweetträgern in Budapestern und Barbourjacken. Soweit ich das beurteilen kann, hat er niemals Sehnsüchte nach der Vergangenheit geäußert. Doch soziologisch ist Cummings – einer der Einpeitscher der Leave-Kampagne und damals Johnsons wichtigster Berater – eng mit den nostalgischen Konservativen verwandt. Er war der Ehemann einer *Spectator*-Redakteurin, Schwiegersohn eines Baronet, Neffe eines berühmten Richters und hatte in Oxford einen geisteswissenschaftlichen Abschluss gemacht. Vor allem teilte er die Befindlichkeiten der Nostalgiker, insbesondere das Gefühl, dass etwas Wesentliches in England untergegangen und tot war. Während der Brexit-Kampagne und danach schrieb er Blogartikel, die vor technokratischem und militärischem Jargon nur so strotzten und in denen er seine Verachtung über das britische Parlament, britische Politiker und die britischen Beamten ausgoss. Seine Sprache mochte eine ganz andere sein als die Heffers, doch die Wut war dieselbe. Er schrieb über die »systemische Dysfunktion unserer Institutionen und den Einfluss grotesk Inkompetenter« und bezeichnete britische Politiker als »Blinde, die Blinde führen«.[51]

Auch wenn er sich selbst niemals als restaurativen Nostalgiker bezeichnet hätte, sah er Europa genau wie diese. In einem seiner Blogartikel, den er 2019 veröffentlichte, ehe ihn Boris Johnson zu seinem obersten Sonderberater ernannte, geißelte er die Europäische Union, weil sie Großbritannien behindere: »Alte Institutionen wie die UN oder die EU gehen von Annahmen über die Effizienz zentralisierter Bürokratien aus, die noch aus dem beginnenden 20. Jahrhundert stammen, und sind nicht in der Lage, globale Probleme der Koordination zu lösen.«[52] Seine Schlussfolgerung: alles neu erfinden, von den Schulen über die Beamtenschaft bis zu den Volksvertretungen.

Ob ihr Kulturpessimismus wütend oder elegisch, ob ihre Nostalgie restaurativ oder reflexiv war, ob sie *clercs* wie Cummings oder Intellektuelle wie Scruton waren – die nostalgischen Konservativen legten den Grundstein für eine Brexit-Kampagne, die den Ausstieg aus der Europäischen Union als letzte Chance zur Rettung des Landes verstand, koste es, was es wolle. Sowohl die Leave-Kampagne des konservativen »Establishments« unter der Leitung von Johnson und Michael Gove als auch die UKIP-Kampagne von Nigel Farage selbst arbeiteten mit Lügen. Johnson behauptete, wenn Großbritannien die Europäische Union verlassen würde, dann stünden dem nationalen Gesundheitswesen wöchentlich 350 Millionen Pfund mehr zur Verfügung – eine Zahl, die vollkommen aus der Luft gegriffen war. Bei einem Verbleib in der Europäischen Union müsse man sich mit der Türkei als neuem Mitglied arrangieren, was auch nicht stimmte. Farage ließ sich vor einem Plakat abbilden, das Massen Richtung Europa flüchtender Syrer zeigte, auch wenn es keinerlei Anlass zu der Befürchtung gab, dass diese nach Großbritannien kommen würden, das ja nicht Teil des Schengenraums war. In einem späteren Interview verglich Cummings die UKIP-Kampagne mit Sowjetpropaganda.[53] Doch auch er selbst arbeitete mit der Furcht vor Zuwanderung und falschen sozialen Versprechungen und stellte sogar bewusst eine Beziehung zwischen beiden her. In einem Video hieß es beispielsweise: »Die Türkei tritt der Europäischen Union bei. Unsere Schulen und Krankenhäuser sind heute schon überlastet.« Das hatte zwar mit der Wirklichkeit nichts zu tun, wurde aber 515 000-mal angeklickt.

Es war einmal, da schrieb man Pamphlete, um aus Ideen politische Projekte zu machen; in der Brexit-Kampagne erlebten wir etwas Neues. Die Leave-Kampagne betrog und brach das Wahlgesetz, um mehr Geld als erlaubt für gezielte Werbung auf Facebook auszugeben. Tierfreunde erhielten Fotos von spanischen Stierkämpfern, Teetrinker sahen eine gierige Hand mit der Aufschrift EU, die nach einer britischen Tasse griff, flankiert von dem grimmigen Slogan »Die Europäische Union will uns um unsere Tasse Tee bringen«. Für ihre gezielte Werbung benutzte sie von Cambridge Analytica gestohlene Nutzerdaten. Beide Brexit-Kampagnen profitierten von russischen Trollen, doch diese gaben vor allem die Werbung der Leave-Kampagne weiter. Der Wahlkampf war schmutziger als jeder andere der modernen britischen Geschichte. Auf dem Höhepunkt wurde die Abgeordnete Jo Cox von einem Mann ermordet, der überzeugt war, dass Brexit Befreiung bedeutete und »Remain«, dass England von Horden dunkelhäutiger Ausländer überrannt würde. Wie der Mörder von Danzigs Bürgermeister Paweł Adamowicz war er durch die wütende Rhetorik radikalisiert worden.

Bis heute hatten die Leute, die von der Wiederauferstehung Englands in alter Glorie träumten, nur den Austritt aus der Europäischen Union vor Augen. Da ich einige von ihnen gut kenne und weiß, wie sehr sie England lieben und wie sehr sie seine Kultur bedroht sehen, konnte ich ihren Standpunkt nachvollziehen, auch wenn ich ihn nicht teilte. Sie glauben, das politische System Großbritanniens sei zu korrupt, um reformiert zu werden, das Land sei bis zur Unkenntlichkeit verändert und habe sein wahres Wesen eingebüßt. Aber wenn das stimmt, dann kann nur eine umfassende Revolution, die das Land mit seinen Grenzen, Traditionen und demokratischen Institutionen umkrempelt, den Verfall aufhalten. Wenn der Brexit diese Revolution brachte, dann war alles gerechtfertigt, was ihn herbeiführen konnte, Vertuschung von Werbeausgaben und russisches Geld genauso wie Datendiebstahl und Angriffe auf die Justiz. Die Hoffnung auf eine radikale Veränderung inspirierte und motivierte die Brexiteers, selbst als Probleme auftraten.

*

Viele Brexit-Befürworter behaupteten, die Rettung der Demokratie sei ihr eigentliches Motiv für den Austritt aus der Europäischen Union. 2010 schrieb Heffer: »Europa hat sich vor allem in antidemokratischer Form weiterentwickelt«, die Europäische Union habe sich »sowjetisiert«, und um seine Demokratie zu retten, müsse Großbritannien austreten.[54] Der konservative Unterhausabgeordnete Michael Gove erklärte 2016 in einer Rede: »Mit unserer Mitgliedschaft in der Europäischen Union haben wir kein Mitspracherecht mehr bei Entscheidungen, die unser aller Leben betreffen.«[55] Er hoffte, der Sieg des Brexit könnte »eine demokratische Befreiung des gesamten Kontinents« anstoßen. Keiner der Brexiteers wollte dieses Ziel ohne Volksabstimmung erreichen.

Doch sosehr sie sich in der Theorie für die Demokratie aussprachen, so angewidert waren gerade die Boulevardschreiber von der Praxis der demokratischen Institutionen in Großbritannien. Als im November 2016 drei Richter urteilten, das Parlament müsse einem Austrittsabkommen mit der Europäischen Union zustimmen, druckte die *Daily Mail,* ein Organ der Brexiteers, auf der Titelseite ein Foto der Richter in Roben und Perücke, dazu die Überschrift »Volksfeinde«.[56]

Die Entscheidung der Richter hatte nichts mit dem Brexit zu tun, im Gegenteil, es ging lediglich darum, die Souveränität des vom Volk gewählten Parlaments zu wahren. Trotzdem wurden die drei Richter – darunter der Lord Chief Justice (d. i. Lordoberrichter) und der Master of the Rolls, um den beiden höchsten Würdenträgern im englischen Rechtssystem ihre vollen Titel zu geben – in dem Artikel heftig angefeindet. Einst von den Konservativen respektierte Vertreter des Establishments, waren sie plötzlich Fremdkörper, Aliens und Angehörige einer Elite, die die Interessen der »wahren Briten« sabotieren wollten. Einer von ihnen wurde verächtlich als »offen schwul lebender ehemaliger Olympiafechter« beschrieben.[57] Doch das

Gericht war nicht die einzige ehrwürdige britische Institution, die ins Kreuzfeuer geriet. Unter der Schlagzeile »Vernichtet die Saboteure« griff die *Daily Mail* auch das Oberhaus an.[58]

Je mehr sich die Verhandlungen mit der Europäischen Union in die Länge zogen, umso größer wurde die Verachtung der Brexiteers für die demokratischen Institutionen Großbritanniens. Das Land aus Verträgen herauszuholen, die über einen Zeitraum von vier Jahrzehnten geschlossen wurden, war natürlich schwieriger, als es die allzu plakativen Wahlversprechen verheißen hatten. Es wurde offenkundig, dass nur wenige der nostalgischen Konservativen Europa und die Europapolitik verstanden, und ihre Prophezeiungen erwiesen sich durchweg als falsch. Heffer schrieb in einer Kolumne, der Brexit werde bald Nachahmer in anderen europäischen Nationen finden,[59] doch er führte im Gegenteil dazu, dass die Unterstützung für die Europäische Union wuchs. Ein konservatives Oberhausmitglied berichtete mir, er habe persönlich mit deutschen Industriemanagern gesprochen und die Zusicherung erhalten, dass neue, für Großbritannien günstige Vereinbarungen getroffen würden. Stattdessen sprachen die deutschen Industriemanager nun davon, Investitionen aus Großbritannien abzuziehen. Während der Brexit-Kampagne hatte niemand auch nur einen Gedanken an Nordirland verschwendet und daran, dass beim Austritt aus dem Binnenmarkt eine neue Grenze zwischen Irland und Großbritannien gezogen werden musste. Doch kaum begannen die Verhandlungen, wurde dies sofort zu einem zentralen Thema.

Die Erkenntnis, dass sie die Kosten und die Schwierigkeiten des Ausstiegs unterschätzt hatten, machte einige Brexiteers schweigsam. Eine Journalistin gestand mir unter vier

Augen, dass sie ihre Meinung zum Brexit geändert habe, auch wenn ich in ihren Artikeln nichts davon bemerkte. Andere liebäugelten offen mit dem Chaos. Ein »No-Deal«-Brexit – ein Brexit, der alle bestehenden Vereinbarungen einfach aufkündigte, ohne neue zu vereinbaren, und der automatisch die Einführung von Zöllen und rechtliche Ungewissheit für Millionen von Menschen bedeutete – war für sie kein bedauerlicher Unfall mehr, den es unter allen Umständen zu vermeiden galt. Sie wollten Disruption. Sie wollten einen Einschlag. Sie wollten *echte* Veränderung. Das war der Moment, in dem sie ihre nostalgische Sehnsucht nach einer besseren Vergangenheit in eine bessere Zukunft ummünzen konnten.

Diese Chaos-Sehnsucht nahm unterschiedliche Formen an. Einige meinten, ein Absturz der Wirtschaft werde der Seele der Nation guttun. Es würde ein Ruck durch das Land gehen, alle würden den Gürtel enger schnallen und die Ärmel hochkrempeln. »Die Briten gehören zu den größten Faulenzern der Welt«, schrieben einige konservative Abgeordnete über ihre Landsleute, deshalb brauchten sie einen Schock und eine Zeit der Entbehrungen und Herausforderungen.[60] Nur so würde Großbritannien, oder zumindest England, zu seinen Wurzeln und seinen alten Tugenden zurückfinden. Der träge und dekadente moderne Staat wäre gezwungen, »die Energie jener bärtigen Viktorianer« wiederzugewinnen, wie Johnson meinte.[61]

Auch auf der anderen Seite des politischen Spektrums wurden Chaos-Fantasien wach. Der Labour-Vorsitzende Jeremy Corbyn stand für eine marxistische Tradition, die das Chaos seit jeher begrüßt, weil es radikale gesellschaftliche Veränderungen einläuten kann. Wie sein Stellvertreter Tom Watson einem Journalisten anvertraute, glaubte ein Teil der

Labour-Führung allen Ernstes: »Wenn der Brexit ins Chaos führt, dann werden die Wähler in Scharen zur radikalen Linken überlaufen.«[62] Ein Teil der linken Intellektuellen schien zumindest zu hoffen, dass der Brexit das Land aus dem kapitalistischen Wirtschaftssystem herauskatapultieren könnte. In einem Artikel der linken Zeitschrift *Jacobin* hieß es zum Beispiel, der Brexit biete »die einmalige Chance zu zeigen, dass der radikale Bruch mit dem Neoliberalismus und seinen tragenden Institutionen möglich ist«.[63]

Auch andere hofften auf eine schwere Krise, wenngleich mit anderem Ausgang: Das Chaos führe zu einem »Abfackeln aller Regeln«, dem Abschied vom Sozialstaat und neuen Chancen für Hedgefonds und Investoren. Großbritannien werde zum Steuerparadies Europas, dem »Singapur an der Themse«, wie mir der Europaabgeordnete Robert Rowland von der Brexit Party sagte. Die Oligarchen würden sich freuen, alle anderen würden sich einfach daran gewöhnen müssen. Alles werde besser.

Das waren keine Nischenmeinungen, und sie galten auch nicht als verrückt. Solche und ähnliche Ansichten wurden von Vertretern des Establishments geäußert, vom Premierminister, vom Oppositionsführer und von wohlhabenden Bankern. Natürlich hatte niemand für einen derart radikalen Bruch gestimmt. In der Kampagne vor dem Referendum war er nicht einmal Thema gewesen. Die Mehrheit des Parlaments war dagegen. Die Mehrheit der Bürger wollte ihn nicht. Doch für die Brexiteers wurde er mehr und mehr zum Ziel. Und wenn die Institutionen des britischen Staates dem im Weg standen, dann wehe diesen Institutionen.

Es ist wohl kein Zufall, dass just zu dieser Zeit einige britische Konservative – aufrechte Parteimitglieder, Thatcher-Anhänger, ehemalige Kalte Krieger – ein Interesse an der undemokratischen Politik anderer Länder entwickelten. Theresa Mays Regierung hatte sich erstaunlich schnell von dem Gedanken verabschiedet, dass Großbritannien für die Demokratie in aller Welt eintreten sollte; Boris Johnson unternahm während seiner kurzen und desaströsen Amtszeit als Außenminister keinerlei Anstrengungen mehr in dieser Richtung. Nach 2016 kannte die Außenpolitik Großbritanniens nur noch ein einziges Thema: den Brexit. Statt ihren erheblichen Einfluss in Warschau geltend zu machen, um die PiS an der Manipulation der Gerichte zu hindern, sprangen die Konservativen, die im Europaparlament derselben Fraktionen angehörten, ihr gar noch zur Seite.

Von einigen Politikern verlangte dies einen Bruch mit ihren ureigensten Werten. Der konservative Europaabgeordnete Daniel Hannan hatte beispielsweise in der Vergangenheit immer wieder die kommunistischen Lügen angeprangert. Wie ich hatte er Scruton dabei geholfen, osteuropäische Dissidenten mit Geld zu versorgen. Doch wenn seine Kollegen von der PiS dem Europaparlament ihre Lügen auftischten, dann überhörte er sie geflissentlich. »Ich will mich nicht in die polnische Innenpolitik einmischen«, sagte er mir im Januar 2020, seiner letzten Woche im Straßburger Parlamentsgebäude.

Einige der britischen Europaparlamentarier gingen noch weiter. Im Jahr 2018 verhinderten Abgeordnete der Konservativen und der UKIP mit ihren Stimmen Maßnahmen gegen Orbán, der die Unabhängigkeit der ungarischen Gerichte aushebelte. Warum sollten Politiker eines der Rechtsstaatlichkeit verpflichteten Landes so etwas tun? Ein UKIP-Abgeordneter erklärte, es ginge darum, »das

Recht einer demokratischen Nation zu wahren, sich gegen Einmischungen aus Brüssel zu wehren«.

Etwa zu dieser Zeit stimmte die Zeitschrift *Spectator,* mein früherer Arbeitgeber, freudig zu, eine Veranstaltung auszurichten, die von der Orbán-treuen Századvég-Stiftung gesponsert wurde. Die Stiftung hatte einst ihre eigene Zeitschrift eingestellt, weil sie einen regierungskritischen Artikel veröffentlicht hatte. »Die Aufgabe dieses Organs besteht darin, die Politik der Regierung zu unterstützen«, hatte der Herausgeber gesagt. Thema der gemeinsamen Veranstaltung von *Spectator* und Századvég war denn auch nicht die Pressefreiheit, sondern die Einwanderungspolitik, das Thema, mit dem die ungarische Führung westeuropäische Konservative umwirbt, obwohl es in Ungarn gar keine Masseneinwanderung gibt oder gab. Nach Berichten von Teilnehmern war die Veranstaltung ein feuchtfröhlicher Abend in der ungarischen Botschaft, bei dem der Botschafter die britischen Autoren und Journalisten in der Runde als »konservative Kollegen« begrüßte, die für dieselbe Sache kämpften.

Als ich den *Spectator*-Herausgeber Fraser Nelson nach der Veranstaltung fragte, beteuerte dieser, nicht einen Hauch der Sympathie für den ungarischen Autoritarismus zu hegen. Obwohl er die Verbindung (und vermutlich auch die Sponsorengelder) nicht aufkündigte, veröffentlichte er immerhin einen Artikel von mir, in dem ich schrieb, die Brexiteers seien »der geistige Deckmantel einer zutiefst korrupten Partei, die die Europäische Union niemals verlassen wird, weil ihre Führung zu viele Tricks gefunden hat, um europäische Gelder für ihre Komplizen abzuzweigen«.[64] Das erzürnte den ungarischen Botschafter in London, der mich später bei der Buchpräsentation eines gemeinsamen Freundes bedrängte und mir vorwarf, Dinge zu schreiben, die seine Arbeit erschwerten. Dieser Vorwurf war nicht falsch.

Die Ungarn scharen auch Leute um sich, die sich aus Wut und Enttäuschung im eigenen Land aktiv auf die Suche nach Alternativen machen. Einer davon ist John O'Sullivan – derselbe John O'Sullivan, der die Schotten so großzügig aus dem Vereinigten Königreich ziehen lassen wollte –, der nicht nur einer von Thatchers Redenschreibern gewesen war, ihr Ghostwriter und ein brillanter Stilist, sondern in den 1980er und 1990er Jahren Herausgeber der *National Review* war, einer der wichtigsten konservativen amerikanischen Zeitschriften. In dieser Funktion hatte er einst meinen Mann als »freien Korrespondenten« angeheuert, und er war auch Gast auf unserer Hochzeit gewesen. Er genoss einen wohlverdienten Ruf als Lebemann – ein gemeinsamer Freund erzählte mir, bei einem Besuch in seiner Wohnung habe er im Kühlschrank nichts gefunden als eine Flasche Champagner – und war nicht nur ein ausgezeichneter Schriftsteller, sondern auch selbst ein begnadeter Redner. Doch mit Mitte siebzig, am Ende seiner wahrhaft außergewöhnlichen Laufbahn, fand O'Sullivan den Weg nach Budapest.

Dort arbeitete er für das Danube Institute, einen von der ungarischen Regierung gegründeten und finanzierten Thinktank. Er beschrieb mir das Institut als »konservativ in seiner Kultur, klassisch liberal in seiner Wirtschaftspolitik und transatlantisch in seiner Außenpolitik«. Doch in der Praxis hat das Danube Institute die Aufgabe, der ungarischen Regierung nach außen einen respektablen Anstrich zu verleihen. Im Land selbst spielt es keine Rolle; ungarische Freunde beschreiben seine Existenz in Budapest als

»Nischendasein«. Ungarische Bürger nehmen seine spärlichen englischsprachigen Veröffentlichungen kaum zur Kenntnis, und seine Veranstaltungen sind unspektakulär und bleiben weitgehend unbemerkt. Aber O'Sullivan hat ein Büro und eine Wohnung in Budapest. Er hat die Mittel, seine vielen Freunde und Kontakte, durchweg konservative Autoren und Denker, in eine der schönsten Städte Europas einzuladen. Ich zweifle nicht, dass O'Sullivan sie dort mit demselben Esprit und Witz empfängt wie eh und je.

O'Sullivan hat Orbán bei vielen Gelegenheiten in Schutz genommen und ein Vorwort zu einem Büchlein über den ungarischen Ministerpräsidenten beigesteuert.[65] Bereitwillig erklärt er, dass alles, was man über Ungarn hört, falsch sei. Es gebe große Freiheiten. Andere Europäer kritisierten Ungarn nicht aufgrund der Korruption oder der sorgfältig gepflegten Fremdenfeindlichkeit, sondern weil sie Orbáns »christliche Werte« ablehnten. Damit spricht er besonders amerikanische Konservative wie Christopher Caldwell an, der auf Einladung von O'Sullivan nach Budapest kam und sich in einem langen Artikel im *Claremont Review* lobend über Orbáns Angriff »auf neutrale Sozialstrukturen und ein ebenes Spielfeld« äußerte, womit er unabhängige Gerichte und Rechtsstaatlichkeit meinte.[66]

Caldwell lobte auch eine mystische »organische Gemeinschaft«, die Orbán seiner Ansicht nach in Ungarn geschaffen hat. Wobei nur ein ausländischer Besucher auf den Gedanken kommen kann, Orbáns verschlossenen und korrupten Einparteienstaat – eine Welt, in der Freunde, Familie und Verwandte des Ministerpräsidenten reich werden und Parteitreue über beruflichen Erfolg und Misserfolg entscheidet und alle anderen aus dem Rennen sind – als »organische Gemeinschaft« zu bezeichnen. Und nur ein Ideologe vermochte auf den Gedanken zu verfallen, dass die europäischen Nachbarn an Orbáns »christlichen Werten« Anstoß nähmen. In Wirklichkeit nehmen sie Anstoß an der gezielten Fremdenfeindlichkeit der Anti-Soros- und Anti-Europa-Kampagnen, sie nehmen Anstoß an der Manipulation des Rechtsstaats, die dem ungarischen Ministerpräsidenten fast vollständige Kontrolle über die Presse und das Wahlverfahren geben, und sie nehmen Anstoß an seiner Korruption und der Verwendung europäischer Mittel für seine Spießgesellen. Anfang 2020 nahmen sie Anstoß daran, dass Orbán das Coronavirus als Vorwand benutzte, um seiner Regierung nahezu diktatorische Vollmachten zu verleihen, darunter die Möglichkeit, Journalisten zu verhaften, die seinen Umgang mit der Pandemie kritisierten. Auch an einer weiteren Heuchelei kann man Anstoß nehmen: In der Tat dürfen Nicht-Europäer und Nicht-Christen wie Syrer, Malaysier oder Vietnamesen gern in Mengen nach Ungarn einwandern – vorausgesetzt, sie zahlen dafür.

Als O'Sullivan 2013 nach Ungarn kam, hätte man das Danube Institute als einen exzentrischen Altersruhesitz für einen distinguierten Mann wie ihn halten können. Doch nachdem die ungarische Regierung ein System errichtet hatte, in dem die Opposition keine Chance mehr hat; nachdem der Finanzhof den Oppositionsparteien die Wahlkampfgelder gestrichen hatte; nachdem eine staatliche Holdinggesellschaft den Großteil der ungarischen Medien unter ihre Kontrolle gebracht hatte; nachdem die ungarische Regierung die Zentraleuropäische Universität vertrieben hatte; nachdem sich Orbáns Familie und Freunde an staatlichen Aufträgen bereichert hatten; nachdem die Regierungspartei ihren Wahlkampf mit Rassismus und verdecktem Antisemitismus geführt hatte (Orbán präsentierte sich als Kämpfer gegen einen nicht genannten »Feind«, der »verschlagen« und »international« agiert und »mit Geld spekuliert«); nachdem Orbán eine russische Bank mit Spionagebeziehungen willkommen geheißen hatte; nachdem er die Politik der Vereinigten Staaten in der Ukraine hintertrieben hatte – nach alledem wurde O'Sullivans Position im Danube Institute immer fragwürdiger, genau wie die Ansichten, die er seinen befreundeten Besuchern verkaufte. Es wurde immer offensichtlicher, dass der ungarische Staat das Danube Institute nur aus einem einzigen Grund finanzierte: Es sollte die wahre Natur einer Regierung verschleiern helfen, die weder konservativ im alten angelsächsischen Sinne noch klassisch liberal in ihrer Wirtschaftspolitik noch transatlantisch in ihrer Außenpolitik war.

Weil O'Sullivan viel unterwegs ist, dauerte es eine Weile, bis es mir gelang, Kontakt mit ihm zu bekommen. Als wir im Herbst 2019 endlich miteinander telefonieren konnten, war er auf einem Kreuzfahrtschiff, und bei ihm war es sehr spät. Unser Gespräch verlief unerfreulich, wenn auch nicht ganz so unerfreulich wie das mit Mária Schmidt. Er machte keine eigene Aufnahme und veröffentlichte im Anschluss auch keine eigene Falschdarstellung. Doch er reagierte auf jede Frage mit einer Spielart des »Whataboutism«, einer rhetorischen Technik, die einst von sowjetischen Offiziellen perfektioniert wurde, wenn sie auf jede Frage den Fragesteller der Heuchelei bezichtigten. Auf meine Frage nach den ungarischen Medien, die zu 90 Prozent der Regierung oder regierungsnahen Unternehmen unterstehen, erwiderte er, die amerikanische Presse begünstigte ja auch die Demokraten, weshalb die Situation da ähnlich sei.[67] Als ich ihn nach der Freundschaft der ungarischen Regierung zu Russland fragte, fragte er zurück, ob sich Deutschland wirklich zu den Vereinigten Staaten und der NATO bekenne. Als ich fragte, wie es ihm damit gehe, dass er für ein von der ungarischen Regierung finanziertes Institut arbeitete, erwiderte er: »Ich bin mir absolut sicher, dass die ungarische Regierung Maßnahmen verfolgt, denen ich persönlich nicht zustimme.« Doch das treffe auf viele Regierungen und Länder zu. Als ich nach den ungarischen Unternehmern fragte, die die Regierungspartei bedränge, meinte er, »die sollten sich einfach mehr darüber beschweren«.

Er fand es genauso interessant wie ich, dass er, Orbán und ich vor langer Zeit, in den 1980er Jahren, alle auf derselben Seite gestanden hatten und dass sich das seither geändert hatte. Aber seiner Ansicht nach lag das daran, dass ich mich verändert hatte. Ich gehörte jetzt der »liberalen, justiziellen, bürokratischen und internationalen« Elite an, die »gegen demokratisch gewählte Parlamente« sei. Er erklärte mir nicht, wie es in einem Land wie Ungarn überhaupt ein »demokratisch gewähltes Parlament« geben könne, in dem die Regierung bei Wahlbetrug straflos davonkommt, in dem Oppositionspolitiker willkürlich verurteilt und bestraft werden können, in dem ein Teil der Justiz politischen Weisungen folgt und in dem der Großteil der Medien von der herrschenden Partei manipuliert wird. Auch seine Verwendung des Wortes »Elite« war verblüffend: In Ungarn gibt es nur eine einzige Elite, und zwar eine fast allmächtige, illiberale, justizielle und bürokratische Elite innerhalb der Fidesz. Es war auch sonderbar widersprüchlich. Einst war O'Sullivan stolz darauf gewesen, einer transatlantischen und internationalen Elite anzugehören, die sich auf Partys von Rupert Murdoch und teuren Diners mit Conrad Black vergnügte. Aber wo sein Kreuzfahrtschiff auch sein mochte, es war spät am Abend. Er war verärgert, ich auch.

★

Ich glaube nicht, dass sich Boris Johnson anfangs als Teil einer neuen Elite verstand, und schon gar nicht als Revolutionär. Er war schließlich ein beglaubigter Angehöriger der alten Elite. Was immer seine Stellvertreter und Berater glauben mochten, er war anfangs nicht daran interessiert, den Staat zu untergraben oder Großbritannien und England neu zu definieren. Er wollte ganz einfach gewinnen und bewundert werden. Er wollte seine amüsanten Geschichten erzählen und an die Macht kommen. Doch in der vom Brexit geschaffenen neuen politischen Welt verlangte ein Sieg beispiellose Schritte. Die Verfassung musste bis an ihre Grenzen gedehnt werden. Die konservative Partei musste von Zweiflern gesäubert werden. Die Spielregeln mussten geändert werden. Und im Herbst 2019 begann er damit, sie zu ändern.

Im September 2019 beschloss er auf Anraten von Cummings, das Parlament auszusetzen – eine so beispiellose wie verfassungswidrige Maßnahme. Außerdem schloss er einige liberale Konservative aus, die versuchten, einen »No-Deal«-Brexit zu verhindern, eine ebenfalls beispiellose Maßnahme. Unter den Ausgeschlossenen befanden sich zwei ehemalige Finanzminister und ein Enkel von Winston Churchill. Einige, darunter Dominic Grieve, einstiger Generalstaatsanwalt und einer der letzten Europäer in den Reihen der Konservativen, wurden später von der Partei aktiv verleumdet. Eine »anonyme Quelle aus der Downing Street« – wahrscheinlich Cummings – steckte Journalisten, Grieve und andere würden aufgrund ihrer »ausländischen Verbindungen« untersucht, und unterstellte ihnen damit Landesverrat. Johnson weigerte sich, diese absurde Geschichte zu dementieren, und erklärte vielmehr in einer Nachrichtensendung, es gebe »berechtigte Fragen, denen wir nachgehen müssen«.[68] In den Tagen danach erhielt Grieve Morddrohungen. Johnson sprach außerdem davon, der Widerspruch des Parlaments gegen einen »No-Deal«-Brexit sei eine Form der Kapitulation vor dem Feind. Er versuchte, diese Bemerkung als Witz hinzustellen, doch nicht alle fanden das komisch.

Im Gegenteil, einigen Menschen in seinem Umfeld war es todernst. Die Brexiteers waren wütend auf das Parlament, dessen Mehrheit sich mit allen rechtlichen Mitteln und parlamentarischen Regeln gegen einen »No-Deal«-Brexit stemmte, den die Mehrheit der Briten nicht wollte. Schließlich stimmten sie einer Einigung zu, die sie wenige Monate zuvor noch abgelehnt hatten und die eine Zollschranke zwischen Nordirland und dem Rest Großbritanniens zuließ. Damit war »No-Deal«-Brexit vom Tisch. Doch die Brexiteers wollten sich von nichts mehr aufhalten lassen. Das konservative Parteiprogramm zu den Unterhauswahlen im Dezember 2019 drohte denen mit Vergeltung, die die Kontrollmechanismen der Verfassung so wirkungsvoll eingesetzt hatten:

Nach dem Brexit müssen wir uns auch mit unserer Verfassung beschäftigen, insbesondere dem Verhältnis von Regierung, Parlament und Gerichten; der Bedeutung des königlichen Hoheitsrechts; der Rolle des Oberhauses; sowie dem Zugang der Bevölkerung zur Justiz.[69]

In den Wochen nach den Wahlen zeichnete sich ab, was da kommen könnte. Wie in Polen machten Regierungspolitiker Drohgebärden in Richtung der unabhängigen Medien und verlangten zum Beispiel neue Formen der Finanzierung der BBC. Wie in Ungarn sprach man davon, die Kompetenzen der Gerichte zu beschneiden. Auch von Säuberungen im Beamtenapparat war die Rede. Cummings erklärte, er wolle »Außenseiter und Spinner« einstellen, um die »großen Veränderungen in der Politik und der Entscheidungsstruktur« durchzusetzen, die jetzt nötig seien.[70] Während eines spaltenden Referendums und zweier wüster Wahlkämpfe hatten die Intellektuellen und Meinungsmacher des Brexit mit Revolution und Zerstörung gedroht und sich dabei einer Sprache bedient, wie man sie in der britischen Politik lange nicht gehört hatte. Nach dem klaren Wahlsieg Johnsons waren nun einige in der Position, ihre Ankündigungen wahr zu machen.

Plötzlich standen sie aber auch vor dem Dilemma, das der amerikanische Staatsmann Dean Acheson 1962 mit den Worten umrissen hatte: »Großbritannien hat sein Weltreich verloren, aber seine Rolle noch nicht gefunden.«[71] In den folgenden Jahrzehnten hatte Großbritannien seine Rolle gefunden, und zwar als eine der führenden Nationen Europas, als wichtige Verbindung zwischen Europa und den Vereinigten Staaten und als europäischer Vorkämpfer für Demokratie und Rechtsstaat. In einer Welt, die durch die Pandemie dramatisch umgestaltet wird, steht Großbritannien heute wieder bei null. Der Platz Großbritanniens in der Welt, seine Rolle, sein Selbstverständnis – Wer sind die Briten? Welche Nation ist Großbritannien? – ist einmal mehr vollkommen ungeklärt. In der neuen, durch die medizinische und wirtschaftliche Krise des Jahres 2020 geschaffenen Landschaft kann etwas vollkommen anderes entstehen.

Kapitel 4: Lügenkaskaden

Politischer Wandel – ein Stimmungsumschwung der Bevölkerung, eine Kehrtwende der öffentlichen Meinung, der Einbruch der Wählerschaft einer Partei – ist seit Langem Gegenstand des Interesses von Akademikern und Intellektuellen. Es gibt eine umfangreiche Literatur zu Revolutionen und ein eigenes Untergenre, das sie vorhersagen soll. Die meisten Untersuchungen stützen sich auf quantifizierbare wirtschaftliche Messgrößen, etwa die Ungleichheit oder den Lebensstandard. Dabei geht es darum zu prognostizieren, wie groß das wirtschaftliche Leid, wie nagend der Hunger und wie verbreitet die Armut sein muss, um eine Reaktion zu provozieren, die Menschen auf die Straße zu treiben und Risiken auf sich nehmen zu lassen.

Die Antwort auf diese Frage ist in letzter Zeit schwieriger geworden. Im Westen leidet die große Mehrheit der Menschen keinen Hunger. Sie haben zu essen und ein Dach über dem Kopf. Sie können schreiben und lesen. Den Menschen, die wir heute als »arm« und »benachteiligt« bezeichnen, fehlen Dinge, von denen man vor hundert Jahren nicht einmal träumen konnte, zum Beispiel eine Klimaanlage oder WLAN. In dieser neuen Welt werden ideologische Umbrüche weniger durch Hunger als durch neue Verwerfungen verursacht. Die neuen Revolutionen haben nur noch wenig Ähnlichkeit mit den alten. In einer Welt, in der die politische Diskussion überwiegend im Internet oder im Fernsehen stattfindet, muss man nicht auf die Straße gehen und ein Plakat hochhalten, um seine Meinung kundzutun. Um politisch die Seiten zu wechseln, reicht es, einen anderen Fernsehsender einzuschalten, morgens eine andere Internetseite aufzurufen oder in den sozialen Medien einer anderen Gruppe zu folgen.

Karen Stenners Untersuchungen zur totalitären Persönlichkeit lassen ahnen, wie und warum es in dieser neuen Welt des 21. Jahrhunderts zu politischen Revolutionen kommt. In einer pixeligen Videoschalte zwischen Australien und Polen erinnerte sie mich daran, dass man die »autoritäre Veranlagung« nicht unbedingt mit Verbohrtheit gleichsetzen sollte.[72] Sie beschreibt es lieber als Schlichtheit: Viele Menschen fühlen sich zu autoritärem Denken hingezogen, weil sie keine Lust haben, sich auf Komplexität einzulassen. Sie mögen keine Diskussionen, sie wünschen sich Einigkeit. Bei einer plötzlichen Konfrontation mit Vielfalt, sei es von Meinungen oder Erfahrungen, verlieren sie die Fassung. Sie suchen Lösungen in einer neuen politischen Sprache, die mehr Gewissheit und Sicherheit verspricht.

Was ist es, das heute eine Reaktion gegen Komplexität provoziert? Einige Faktoren liegen auf der Hand. Demografische Umwälzungen, zum Beispiel in Form der Ankunft von Fremden, ist eine Form der Komplexität, die autoritäre Neigungen seit jeher schürt. Es war kein Wunder, dass die Ankunft von Hunderttausenden Menschen – einige auf Einladung von Bundeskanzlerin Angela Merkel – aus dem Nahen Osten nach dem Herbst 2015 den Parteien, die mit autoritären Losungen und Symbolen arbeiten, mehr Unterstützer bescherte. In einigen Ländern, vor allem den Mittelmeeranrainern, bedeuteten diese Menschen ein wirkliches Problem: Die Neuankömmlinge mussten untergebracht und versorgt und ihr weiterer Verbleib organisiert werden. Auch anderswo in Europa, vor allem in Deutschland, stellte sich das Problem der Unterbringung, Ausbildung und Integration der Neuankömmlinge. In einigen Regionen und Wirtschaftsbereichen der USA und des Vereinigten Königreichs stellen Zuwanderer erwiesenermaßen eine unerwünschte Konkurrenz dar. In vielen Ländern stand die Ankunft der Migranten in direktem Zusammenhang mit einem spürbaren Anstieg von Verbrechen und Terrorakten.

Doch die Beziehung zwischen Zuwanderern und fremdenfeindlichen politischen Bewegungen ist nicht immer eine direkte. Zum einen muss Zuwanderung selbst aus Ländern mit einer anderen Religion oder Kultur nicht immer eine Gegenreaktion auslösen. In den 1990er Jahren kamen muslimische Flüchtlinge aus dem ehemaligen Jugoslawien nach Ungarn, ohne dass dies allzu viel Reibung verursacht hätte. In Polen stießen muslimische Flüchtlinge aus Tschetschenien nicht auf nennenswerten Widerstand. Die Vereinigten Staaten haben in den vergangenen Jahren Flüchtlinge zum Beispiel aus Russland, Vietnam, Haiti und Kuba aufgenommen, ohne dass dies größere Diskussionen ausgelöst hätte.

Der Widerstand gegen Zuwanderer lässt sich auch nicht immer auf ihren mangelnden Integrationswillen schieben. So wurde der Antisemitismus in Deutschland ausgerechnet in dem Moment am größten, als sich die Juden erfolgreich integrierten und sogar zum christlichen Glauben übertraten. Mehr noch, es entsteht der Eindruck, dass ein Land heute gar keine Zuwanderer und die damit verbundenen

Probleme haben muss, um mit Fremdenhass Politik zu machen. So gibt es zum Beispiel in Ungarn kaum Ausländer, wie mir selbst Mária Schmidt bestätigte, doch es gelang der Regierungspartei trotzdem, erfolgreich die Fremdenfeindlichkeit anzuheizen. Wenn sich Menschen über die Zuwanderung erbosen, dann meinen sie also nicht immer etwas, das sie selbst erlebt und erfahren haben. Sie meinen etwas Imaginäres, das sie fürchten.

Dasselbe trifft auf Ungleichheit und Einkommensverluste zu, eine weitere Quelle der Angst, Wut und Polarisierung. Die Ökonomie allein kann nicht erklären, warum in Ländern an ganz unterschiedlichen Punkten des Konjunkturzyklus und mit ganz unterschiedlichen politischen Geschichten und Klassenstrukturen – nicht nur in Europa und den Vereinigten Staaten, sondern auch in Indien, auf den Philippinen und in Brasilien – zwischen 2015 und 2018 gleichzeitig ähnliche Formen der Wutpolitik aufkamen. »Die Wirtschaft« und »Ungleichheit« sind keine Erklärung dafür, warum just in diesem Moment Wut und Hass um sich griffen. In seinem Buch *Die totalitäre Versuchung* schrieb der französische Philosoph Jean-François Revel: »Der Kapitalismus befindet sich zweifelsohne in großen Schwierigkeiten. Ende 1973 las sich der Arztbericht wie eine Todesankündigung.«[73] Diese inzwischen über vierzig Jahre alte Diagnose könnte genauso die Gegenwart beschreiben. Doch aus unerfindlichen Gründen waren die Auswirkungen der Krankheit des Kapitalismus 2016 zu spüren, nicht jedoch 1976.

Das soll nicht heißen, dass Zuwanderung und wirtschaftliches Leid nichts mit der aktuellen Krise zu tun haben: Sie sind sehr wohl ein ehrlicher Auslöser für Wut, Verzweiflung und Konflikt. Doch als umfassende Erklärung für die politischen Umbrüche und den Aufstieg einer ganz neuen Klasse von politischen Akteuren reichen sie nicht aus. Es ist etwas anderes im Gange, das Länder mit sehr unterschiedlichen Demokratien, Wirtschaftssystemen und Bevölkerungsstrukturen in aller Welt betrifft.

Neben dem Revival der Nostalgie, der Enttäuschung über die Leistungsgesellschaft und der Attraktivität von Verschwörungstheorien könnte die Ursache zumindest zum Teil auch in der auf Streit und Rechthaben ausgelegten Natur des heutigen politischen Diskurses selbst zu finden sein: unsere Art, über politische Themen zu lesen, zu denken und zu sprechen. Wir wissen, dass in geschlossenen Gesellschaften, die nicht an öffentliche Debatten gewöhnt sind, die Ankunft der Demokratie mit ihren widerstreitenden Stimmen und Meinungen »komplex und furchteinflößend« sein kann, wie Stenner sagt. Der Lärm des Streits und das fortwährende Hin und Her widerstreitender Meinungen kann Menschen verärgern, die lieber in einer Gesellschaft leben, die von einem einzigen Narrativ zusammengehalten wird. Dass ein erheblicher Teil der Bevölkerung die Einheit bevorzugt, erklärt auch, warum seit 1789 so viele liberale und demokratische Revolutionen mit Diktaturen enden, die sich großer Unterstützung erfreuen. Isaiah Berlin schrieb einmal über das menschliche Bedürfnis zu glauben, »dass es irgendwo, in der Vergangenheit oder in der Zukunft, in göttlicher Offenbarung oder in den Gedanken eines einzelnen Denkers, in den Verkündigungen der Geschichte oder der Wissenschaften … eine letztgültige Antwort gibt«.[74] Berlin beobachtete, dass nicht alles, was wir Menschen für gut und wünschenswert halten, auch miteinander vereinbar ist. Effizienz, Freiheit, Gerechtigkeit, Gleichheit, die Ansprüche des Einzelnen und die der Gruppe – sie alle ziehen uns in unterschiedliche Richtungen. Doch genau das können viele Menschen nicht akzeptieren, so Berlin: »Zuzugeben, dass die Erfüllung eines unserer Ideale die Erfüllung von anderen grundsätzlich unmöglich machen könnte, bedeutet, dass die Vorstellung der umfassenden menschlichen Befriedigung ein förmlicher Widerspruch ist, eine metaphysische Chimäre.« Dennoch ist Einheit eine Chimäre, der einige immer anhängen werden.

In den offeneren Gesellschaften des Westens glauben wir mit einer gewissen Selbstgefälligkeit an unsere Toleranz für widerstreitende Standpunkte. Doch die Bandbreite dieser Standpunkte war in unserer jüngeren Geschichte stark eingeschränkt. Seit 1945 fanden die Diskussionen vor allem zwischen Positionen rechts und links der Mitte statt. Entsprechend schmal war das Spektrum an möglichen Wahlergebnissen, vor allem in Gesellschaften wie den skandinavischen, die stets auf Konsens bedacht waren. Aber selbst in den hemdsärmeligeren Demokratien war das Spielfeld relativ klar vorgegeben. In den Vereinigten Staaten ließ der Kalte Krieg in der Außenpolitik Einigkeit der beiden Lager entstehen. In vielen europäischen Ländern war das Bekenntnis zu Europa selbstverständlich. Die Vorherrschaft nationaler Sendeanstalten – der britischen BBC oder der drei Networks in den USA – und großer, werbefinanzierter Zeitungen hatte zur Folge, dass in westlichen Nationen die meiste Zeit über ein homogenes nationales Gespräch geführt wurde. Die Meinungen mochten sich unterscheiden, doch die meisten Menschen diskutierten innerhalb eines klar vorgegebenen Rahmens.

Diese Welt ist Vergangenheit. Heute erleben wir einen rasanten Wandel bei der Weitergabe und Aufnahme politischer Informationen – genau die Art von Kommunikationsrevolution, die in der Vergangenheit politische Umwälzungen bewirkte. Die Erfindung der Druckerpresse im 15. Jahrhundert bereitete den Boden für eine ganze Reihe positiver Veränderungen: die Alphabetisierung weiter Teile der Bevölkerung, die Verfügbarkeit verlässlicher Informationen, das Ende des Informationsmonopols der katholischen Kirche. Das alles bewirkte jedoch eine neue Polarisierung und radikale politische Veränderungen. Dank der neuen Technologie konnten die Gläubigen die Bibel selbst lesen, und das wiederum beförderte die protestantische Reformation, die mit jahrzehntelangen blutigen Religionskriegen einherging. Märtyrer wurden verbrannt und Kirchen und Dörfer in einem Wahn von Wut und Selbstgerechtigkeit dem Erdboden gleichgemacht. Der Schrecken endete erst mit der Aufklärung und der Durchsetzung der Religionsfreiheit.

Mit dem Ende der religiösen Konflikte begannen jedoch neue Auseinandersetzungen zwischen säkularen Ideologen und nationalen Gruppen. Einige verschärften sich nach einer weiteren Kommunikationsrevolution, der Erfindung des Radios und dem Ende des Monopols des gedruckten Wortes. Hitler und Stalin verstanden mit als Erste, welche Macht ihnen dieses neue Medium verlieh. Demokratische Regierungen hatten anfangs ihre Schwierigkeiten, den Demagogen etwas entgegenzusetzen, die jetzt die Menschen in ihren eigenen vier Wänden erreichen konnten. Weil man in Großbritannien ahnte, welche Gräben der Rundfunk aufreißen konnte, wurde dort 1922 die BBC gegründet, die zum Ziel hatte, das gesamte Land zu erreichen; ihr Auftrag war die »Information, Bildung und Unterhaltung«, aber auch, die Bevölkerung in einem einzigen nationalen Gespräch zusammenzubringen und auf diese Weise die demokratische Diskussion zu ermöglichen.

Die aktuelle Informationsrevolution verlief schneller als alles, was wir aus dem 15. oder auch dem 20. Jahrhundert kennen. Nach der Erfindung der Druckerpresse vergingen Jahrhunderte bis zur Alphabetisierung Europas, und die Erfindung des Radios stellte keine Bedrohung für die Zeitungen dar. Heute dagegen hat die rasche Verlagerung von Werbeetats ins Internet innerhalb von nur einem Jahrzehnt die Möglichkeiten von Sendeanstalten und Printmedien zur Recherche und Verbreitung von Information stark eingeschränkt. Viele haben ihre Nachrichtensendungen eingestellt, viele werden bald nicht mehr existieren. Das auf Werbefinanzierung basierende Geschäftsmodell bedeutete, dass die Anbieter die Interessen einer breiten Allgemeinheit bedienen und zumindest den Anschein der Objektivität wahren mussten. Sie konnten voreingenommen, flach oder dröge sein, doch sie waren ein Filter für die schlimmste Sorte von Verschwörungstheorien. Außerdem unterstanden sie Gerichten und Aufsichtsbehörden, und die Presse hielt sich an einen ethischen Kodex und gesetzliche Vorgaben.

Vor allem öffneten die alten Printmedien und Sendeanstalten den Raum für ein homogenes nationales Gespräch. In vielen Demokratien gibt es heute keine gemeinsame Debatte mehr, von einer gemeinsamen Erzählung ganz zu schweigen. Menschen hatten immer unterschiedliche Ansichten. Heute haben sie unterschiedliche Tatsachen. In einer Informationssphäre ohne politische, kulturelle oder moralische Autorität ist es schwer, Verschwörungstheorien von Fakten zu unterscheiden. Falsche, parteiliche und oftmals bewusst irreführende Erzählungen verbreiten sich heute wie digitale Lauffeuer, und die Lügenkaskaden sind zu schnell, als dass Faktenchecker noch mithalten könnten.

Und selbst wenn sie das könnten, spielt das keine Rolle mehr: Viele Menschen würden niemals eine Website von Faktencheckern besuchen, und wenn doch, dann würden sie ihnen keinen Glauben schenken. Die Leave-Kampagne von Dominic Cummings war der beste Beweis dafür, dass man immer wieder lügen kann, ohne die geringsten Konsequenzen fürchten zu müssen.

Das Problem geht jedoch über Lügen, verdrehte Tatsachen, Wahlkampagnen und Meinungsmacher hinaus: Die Algorithmen der sozialen Medien selbst fördern die falsche Wahrnehmung der Welt. Die Menschen klicken die Nachrichten an, die sie sehen wollen; daraufhin zeigen ihnen Facebook, YouTube und Google mehr von dem, was ihnen gefällt, egal, ob es sich dabei um eine bestimmte Seifenmarke oder um eine politische Ansicht handelt. Auf diese Weise radikalisieren die Algorithmen die Nutzer: Wer sich auf YouTube völlig legitime Videos von Migrationsgegnern ansieht, landet mit wenigen Klicks auf den Seiten von Rechtsradikalen und gewalttätigen Fremdenhassern. Weil die Algorithmen darauf ausgerichtet sind, uns möglichst lange im Internet festzuhalten, begünstigen sie Emotionen, vor allem Wut und Angst. Und weil die Seiten süchtig machen, beeinflussen sie Menschen auf eine Weise, die nicht zu erwarten war. Wut wird zur Gewohnheit. Spaltung wird normal. Auch wenn im Westen die sozialen Medien noch nicht die wichtigste Nachrichtenquelle sind, haben sie großen Einfluss darauf, wie Politiker und Journalisten die Welt interpretieren und darstellen. Die Polarisierung im Internet ist längst in der Wirklichkeit angekommen.

Das Ergebnis ist eine verschärfte Lagerbildung, die das Misstrauen gegenüber »normaler« Politik, »etablierten« Politikern, »anerkannten« Experten und »Mainstream«-Institu-

tionen wie Gerichten, Polizei und Behörden weiter schürt.
Kein Wunder. Mit der zunehmenden Polarisierung geraten
Beamte und staatliche Angestellte zunehmend zwischen
die politischen Fronten und stehen im Verdacht, von der
Gegenseite vereinnahmt worden zu sein. Es kommt nicht
von ungefähr, dass PiS, Brexiteers und Trump-Regierung
Beamte und Diplomaten angreifen. Es ist kein Zufall, dass
in vielen Ländern Richter und Gerichte zur Zielscheibe
von Kritik, Anfeindung und Wut werden. In einer pola-
risierten Welt gibt es keine Neutralität, denn es gibt keine
überparteilichen und apolitischen Institutionen.

Das Medium hat auch die Debatte selbst verändert. Auf
unsere Telefone und Computer ergießt sich ein unablässi-
ger Strom von Werbung für Haartrockner, Klatsch aus dem
Leben von Promis, Geschichten vom Aktienmarkt, Sta-
tusmeldungen von Freunden und rechtsextremen Memes,
und alle scheinen sie dasselbe Gewicht zu haben. Wenn
die politische Debatte früher überwiegend in Parlament,
Zeitungskommentaren, Fernsehstudios oder Stammtischen
stattfand, hat sie sich heute weitgehend ins Internet ver-
lagert, in eine virtuelle Realität, in der Leser und Autoren einander genauso fern sind wie den Themen, in der
niemand Gesicht zeigen und niemand Verantwortung für
das Geschriebene übernehmen muss. Reddit, Twitter und
Facebook sind das perfekte Medium für Ironie, Parodie und
zynische Memes: Man öffnet sie, um sie herunterzuscrol-
len und sich zu amüsieren. Kein Wunder, dass in Ländern
wie Island, Italien oder Serbien immer mehr »ironische«,
»parodistische« und »Witz«-Kandidaten zu Wahlen antre-
ten und sogar gewählt werden. Einige mögen harmlos sein,
andere sind es nicht. Eine ganze Generation junger Menschen sieht in Wahlen heute eine Chance, ihre Verachtung

für die Demokratie zum Ausdruck zu bringen, indem sie ihr Kreuzchen neben Kandidaten setzen, die nicht einmal so tun, als hätten sie politische Ansichten.

Was nicht heißt, dass wir in die analoge Vergangenheit zurückkehren sollten. Auch in der Welt der alten Medien lag vieles im Argen, und die Welt der neuen Medien hat ihre guten Seiten: Ohne sie hätte es viele politische Bewegungen, Diskussionsforen und neue Ideen nie gegeben. Doch all diese Veränderungen – von der Fragmentierung der Öffentlichkeit bis zur Erosion einer gemeinsamen Gesprächsgrundlage, von der ausufernden Polarisierung bis zum Bedeutungsverlust anerkannter Institutionen – scheinen viele Menschen zu stören, die Schwierigkeiten mit Komplexität und Missklang haben. Selbst wenn wir heute keine rasanten demografischen Veränderungen erleben würden, selbst wenn die Wirtschaft nicht in Turbulenzen wäre und selbst wenn wir keine Gesundheitskrise durchmachen würden, würde sich immer noch ein erklecklicher Teil der Wähler durch die Zersplitterung der rechten und linken Mitte, den Aufstieg von Separatistenbewegungen, die Eskalation des Hasses, das Anschwellen der seit einem halben Jahrhundert marginalisierten extremistischen und rassistischen Stimmen dazu bringen lassen, Politiker zu wählen, die ihnen eine neue und geordnetere politische Ordnung versprechen.

Wie das funktioniert, zeigen viele aktuelle Beispiele. Das Ende der parteiübergreifenden Zusammenarbeit im US-Kongress der 1990er Jahre, der Aufstieg der mit Verschwörungstheorien operierenden Nationalisten in Polen seit 2005, das Brexit-Referendum des Jahres 2016 – all diese polarisierenden Momente haben einen Teil der Bevölkerung der betroffenen Länder radikalisiert. Wie Stenner

schreibt: »Je größer der Widerspruch zwischen den Botschaften, umso größer die Wut der Wähler.« Das brachte
auch die polnische Romanautorin Olga Tokarczuk 2019 in
ihrer Nobelpreisrede zum Ausdruck: »Statt die Harmonie
der Welt zu hören, vernehmen wir ein chaotisches Stimmengewirr und unerträgliches Rauschen, aus dem wir ver-
zweifelt eine stillere Melodie heraushören wollen, und sei
es ein noch so schwacher Rhythmus.«[75]

Die modernen demokratischen Institutionen, die aus
einer Zeit mit einer ganz anderen Informationstechnik
stammen, bieten jenen wenig Hoffnung, die den Lärm nicht
ertragen. Diskussionen, Wahlkampf, Koalitionsverhandlun-
gen – das alles scheint so rückschrittlich in einer Welt, in
der anderes so schnell passiert. Per Klick auf unser Telefon
kaufen wir ein Paar Schuhe, doch die Bildung einer Koalitionsregierung kann Monate in Anspruch nehmen. Mit
Tastendruck laden wir einen Film herunter, doch das kana-
dische Parlament braucht Jahre, um ein Problem zu disku-
tieren. Auf internationaler Ebene ist es noch viel schlimmer:
Multinationale Institutionen wie die EU oder die NATO
stehen vor extremen Schwierigkeiten, wenn sie schnelle
Entscheidungen treffen oder große Veränderungen vorneh-
men sollen. Kein Wunder, dass viele Menschen Angst vor
den Veränderungen haben, die die Technik mit sich bringt,
und dass sie fürchten, ihre politischen Führer könnten ihnen
nicht gewachsen sein.

Das laute Stimmengewirr der modernen Politik, die
Wut im Kabelfernsehen und in den Abendnachrichten; das
rasante Tempo der sozialen Medien; die widersprüchlichen
Schlagzeilen, die beim Surfen im Internet aufeinanderpral-
len; und im Gegensatz dazu die Langeweile der Behörden
und Gerichte – das alles beunruhigt den Teil der Bevölke-

rung, der Einigkeit und Einheitlichkeit vorzieht. Demokratie war immer laut und harsch, doch wenn man sich an ihre Spielregeln hält, schält sich allmählich ein Konsens heraus. Die moderne Debatte hält sich nicht daran. Stattdessen weckt sie in einigen Menschen den Wunsch, die anderen mit Gewalt zum Schweigen zu bringen.

Diese neue Informationswelt gibt einer neuen Generation von *clercs* die Instrumente und Methoden an die Hand, um Menschen zu erreichen, die sich einfache Erklärungen, starke Symbole und klare Identitäten wünschen. Man muss heute keine Bewegung mehr auf die Straße führen, um Menschen mit autoritären Neigungen zu erreichen. Das kann man auch mit einem Computer von einem Bürogebäude aus. Man kann mit Botschaften experimentieren und Reaktionen messen. Man kann Fangruppen auf WhatsApp oder Telegram aufbauen. Man kann bewährte Themen zusammenstellen, die in die Gegenwart passen, und sie auf konkrete Zielgruppen zuschneiden. Man kann Memes gestalten, Videos sampeln und Slogans erfinden, die genau die Ängste ansprechen, die von dieser gewaltigen und internationalen Welle des Missklangs geweckt werden. Man kann Missklang und Chaos auch selbst stiften, weil man weiß, dass man damit viele Menschen verunsichern kann.

*

Morgengrauen im Baskenland. Ein Mann geht erst langsam, in Zeitlupe, dann läuft er. Er klettert über einen Zaun, läuft durch ein Weizenfeld und streicht dabei mit der Hand über die reifen Ähren, wie in einem Hollywoodfilm. Im Hintergrund spielt Musik, und eine Stimme sagt: »Wenn du nicht über Ehre lachst, weil du nicht unter Verrätern leben willst … Wenn du nach neuen Horizonten Ausschau hältst, ohne auf deine Herkunft herabzublicken … Wenn du dir in Zeiten der Korruption die Ehre bewahrst …«[76]

Die Sonne geht auf. Der Mann geht einen steilen Weg hinauf. Er überquert einen Bach. Er gerät in ein Gewitter. »Wenn du Dankbarkeit und Stolz für die Männer in Uniform empfindest, die die Mauer schützen. … Wenn du dein Vaterland so liebst wie deine Eltern …« Die Musik erreicht ein Crescendo, der Mann steht auf einem Berg, und die Stimme endet mit: »… dann machst du Spanien wieder groß!« Und auf dem Bildschirm erscheint das Motto *Hacer España Grande Otra Vez*.

Das Motto bedient sich bei Donald Trumps »Make America Great Again«. Der Mann im Video ist Santiago Abascal, Chef der Partei Vox. Diese Partei erhielt 2019 mehr Stimmenzuwächse als jede andere spanische Partei. Bei den Parlamentswahlen drei Jahre zuvor hatte Vox mit ihrem Macho-Nationalismus keinen einzigen Sitz gewonnen. Kurz darauf veröffentlichte eine spanische Internetseite einen Artikel mit der Überschrift: »Warum wählt niemand Santiago Abascal?«

Im Frühjahr 2019 sprang der Vox-Stimmenanteil von Null auf 10 Prozent, und die Partei bekam 24 Sitze im Parlament. Weil die Wahl keine regierungsfähige Mehrheit brachte, wurde im Herbst ein weiteres Mal gewählt, und diesmal gewann Vox doppelt so viele Sitze. In diesem Jahr war ich mehrmals in Madrid, und die Stimmung in der Stadt erinnerte mich an London vor dem Brexit-Referendum oder Washington vor Trumps Wahlsieg. Viele der Journalisten, Akademiker und Verleger, mit denen ich sprach, blickten pessimistisch in die Zukunft. Die Leute der

Vox, von denen ich einige traf, waren dagegen voller Elan und wussten, wohin sie wollten. Es war wie ein Déjà-vu: Wieder würde eine politische Klasse von einer wütenden Welle überrollt werden.

Auch einige der Spanier, mit denen ich mich unterhielt, erlebten ein Déjà-vu, wenn auch anderer Art: In der Rhetorik der Vox hörten sie Anklänge an die Vergangenheit. Ältere Spanier erinnern sich noch an den prahlerischen Nationalismus der Franco-Diktatur, die *¡Arriba España!*-Rufe auf Versammlungen und die pathetische Stimmung des verordneten Patriotismus. In den vier Jahrzehnten, die seit seinem Tod im Jahr 1975 vergangen sind, schien das alles niemand vermisst zu haben. Im Gegenteil, Ende der 1970er Jahre machte Spanien einen ähnlichen Wandel durch wie das postkommunistische Osteuropa, es trat den europäischen Institutionen bei, gab sich eine neue Verfassung und stellte einen nationalen Konsens her. Die Demokratisierung Spaniens folgte dem Vorbild der Nachkriegszeit in Westeuropa. Zum Zeitpunkt von Francos Tod war die Demokratisierung und Integration Frankreichs, Deutschlands und Italiens so erfolgreich, dass die Spanier, die nach dem Krieg einen ganz anderen Weg eingeschlagen hatten, schließlich auch daran teilhaben wollten.

Nach einer Übergangszeit pflegte die neue spanische Demokratie einen demonstrativen Konsens. Aus dem alten Einparteienstaat gingen zwei große Parteien hervor, die sich einig waren, sich einig zu sein. Viele Franco-Anhänger und ihre Kinder wählten den Partido Popular, die konservative Volkspartei, und viele Franco-Gegner und ihre Kinder den Partido Socialista, die neue sozialdemokratische Partei. Doch beide Seiten einigten sich stillschweigend und manchmal auch offen, die Vergangenheit ruhen zu lassen.

Franco durfte in seiner Gruft in der unterirdischen Basilika im Tal der Gefallenen bleiben, und die Franco-Gegner ehrten ihre eigenen Veteranen. Der Bürgerkrieg, der das Land zerrissen hatte, wurde nicht thematisiert. Die Vergangenheit schien, anders als in Faulkners berühmtem Satz, tatsächlich vergangen zu sein.

In den letzten zehn Jahren ist dieser Konsens zerbrochen. In Reaktion auf die Wirtschaftskrise des Jahres 2009 stellte die neue linke Partei Podemos (»Wir können«) die Einheit der sozialdemokratischen linken Mitte infrage. In Reaktion auf Bestechungsvorwürfe gegen die konservative Mitte entstand eine liberale Partei namens Ciudadanos (»Bürger«), die eine neue Kraft der Mitte werden wollte. Eine umstrittene Entscheidung in einem Vergewaltigungsprozess brachte Hunderttausende Frauen in lautstarken Demonstrationen auf die Straße, die viele traditionelle Katholiken gegen sich aufbrachten. Eine Mitte-Links-Koalition holte Francos Überreste aus seinem pompösen Mausoleum und setzte sie in einem Friedhof bei, womit sie viele nostalgische Konservative gegen sich aufbrachte.

Dazu kamen die katalanischen Separatisten, die den Verfassungskonsens auf spektakuläre Weise infrage stellten. Katalonien ist eine wohlhabende Region, und viele der Bewohner sprechen Katalanisch; die Region verbindet eine jahrhundertelange Geschichte der Einheit und des Konflikts mit dem Rest Spaniens. Unter Franco wurde jede Andeutung eines katalanischen Separatismus hart unterdrückt. Die demokratische Verfassung Spaniens von 1978 gestand dagegen allen spanischen Regionen mehr Autonomie zu und gestattete die Entwicklung regionaler Identitäten, was so weit ging, dass die katalanische Regionalregierung, in der die Separatisten eine knappe Mehrheit hatten, 2017 beschloss, über die Unabhängigkeit abstimmen zu lassen. Das spanische Verfassungsgericht erklärte das Referendum für gesetzeswidrig. Eine große Mehrheit der Katalanen boykottierte die Abstimmung – ein emotionales Ereignis, das von Polizeigewalt überschattet wurde –, doch die Mehrheit der Urnengänger sprach sich für die Unabhängigkeit aus.

Während der folgenden Unruhen löste der spanische Senat die katalanische Regierung auf und rief Neuwahlen aus. Einige der Separatistenführer flohen ins Exil, ein Dutzend wurde festgenommen, vor Gericht gestellt und zu langen Haftstrafen verurteilt. Als sich der Staub legte, war Vox – die einzige Partei, die einen lautstarken Antiseparatismus und Nationalismus vertrat – plötzlich ein wichtiger Akteur auf der politischen Bühne Spaniens. Vox nutzte ein Gesetz, das Privatklagen gegen die katalanischen Separatisten zuließ. Die Partei hielt eine Versammlung in Barcelona ab, bezeichnete die katalanische Regierung als kriminelle Vereinigung und provozierte damit eine gewalttätige Gegendemonstration von Steine werfenden, schwarz maskierten Anarchisten – ausgezeichnete Bilder, um ihre Anhänger hinter sich zu scharen.[77] Vor allem wollte Vox das Einheitsgefühl der längst vergangenen *¡Arriba España!*-Versammlungen wieder aufleben lassen. Wozu die Führung YouTube, Twitter, Instagram, Telegram und WhatsApp benutzte.

Zwischen Frühjahr 2018 und den Wahlen 2019 dokumentierte Abascal jede seiner Veranstaltungen auf Twitter, veröffentlichte Videos und Fotos von Gaststätten, Konferenzsälen und schließlich gefüllten Stadien mit jubelnden Anhängern. In einigen seiner aufputschenden Twittermeldungen verwendete er den Hashtag *#EspañaViva*, lebendiges Spanien.[78] Zum Beispiel: »Weder Morddrohungen von

Dutzenden Kommunisten noch Beleidigungen von Fernsehjournalisten werden #EspañaViva aufhalten.« Einige seiner beliebtesten Versammlungen fanden unter dem Motto Cañas por España – Bier für Spanien – statt. Im März 2018 waren die 700 Tickets für eine Cañas por España-Veranstaltung innerhalb von vier Stunden ausverkauft, die Teilnehmer waren durchweg unter dreißig.

Diese Veranstaltungen, die begleitenden Twittermeldungen und die dauernden Angriffe der Partei auf »gefälschte« Meinungsumfragen in »befangenen« Medien hatten einen eindeutigen Zweck: Sie sollten den Anhängern von Vox den Eindruck vermitteln, sie seien Teil einer großen, aufregenden, wachsenden und vor allem homogenen Bewegung. Abascal sprach von einer »patriotischen Bewegung zur Rettung der nationalen Einheit« und verwendete eine großspurige Rhetorik, die seine Partei größer erscheinen ließ, als sie war.[79] Das war die tragende Säule der Parteistrategie: Über die sozialen Medien schuf sie das Gefühl der Einigkeit um eine Bewegung, die es so noch gar nicht gab.

Gleichzeitig gelang es der Vox, Wählergruppen zu erreichen, die von anderen Aspekten des modernen Lebens enttäuscht waren und deren Anliegen von anderen Parteien nicht aufgegriffen wurden. Die Strategie ähnelte der von Plattenfirmen, die Retortenbands zusammenstellen: Sie betreiben Marktforschung, suchen miteinander harmonierende Gesichter und vermarkten die Band dann mit zielgruppengerechten Werbekampagnen. Neue politische Parteien verwenden heute vergleichbare Methoden: Sie bündeln Themen, verpacken sie neu und verkaufen sie in gezielten Werbekampagnen, die sich anderswo bewährt haben. Vox bediente Themen vom politischen Restemarkt, die andere übersehen oder unterschätzt hatten, etwa den

Unmut über den katalanischen und baskischen Separatismus, den Widerstand gegen die gleichgeschlechtliche Ehe, die Ressentiments gegen den Feminismus, den Ärger über die Zuwanderung vor allem von Muslimen, die Wut über die Korruption, die Langeweile der etablierten Parteien sowie eine Handvoll Randthemen wie Jagdrecht und Waffenbesitz, die einigen Leuten wichtig sind und anderen nicht. Dazu kamen eine Prise Libertarismus, ein Talent für Spott und ein Hauch restaurativer Nostalgie.

Vox bot keine Ideologie, sondern eine Identität: sorgfältig zusammengestellt, leicht zu konsumieren und leicht zu verkaufen in einer viralen Onlinekampagne. Die Slogans sprachen von Einheit, Harmonie und Tradition. Von Beginn an zielte Vox auf Menschen, die das Stimmengewirr störte, und versprach ihnen das Gegenteil.

*

Als ich Rafael Bardají nach dem »Macht Spanien wieder groß«-Video fragte, grinste er: »Das war meine Idee. Es war damals eher als Witz gedacht.«[80] Bardají, der fast von Beginn an bei Vox ist, entspricht nicht dem Klischee eines rechten Parteiführers. Der gut gelaunte Brillenträger in Anzug und Krawatte sieht eher aus wie ein Politiker des konservativen Establishments, aus dem er ja auch kommt. Er war Berater des früheren konservativen Ministerpräsidenten José María Aznar, des ersten erfolgreichen Politikers des Partido Popular, und begann seine Laufbahn in der gemäßigten Mitte. Er ist vor allem bekannt dafür, dass er Spanien dazu brachte, sich 2003 dem Einmarsch der Vereinigten Staaten in den Irak anzuschließen. Laut einer Umfrage waren damals 91 Prozent der Spanier gegen diesen Krieg. Als dann islamistische Gotteskrieger drei Tage vor der Parlamentswahl im März 2004 im Hauptbahnhof von Madrid mehrere Bomben zündeten, die nahezu zweihundert Menschen töteten und zweitausend verletzten, gaben die Wähler Aznar die Schuld dafür, dass er den Nahostkonflikt nach Spanien gebracht hatte. Völlig unerwartet gewannen die Sozialdemokraten die Wahl, und damit war die politische Laufbahn von Aznar und Bardají zu Ende.

Dank seiner damaligen Rolle wird Bardají in Spanien als jemand wahrgenommen, der nicht zum politischen Establishment gehört. Gelegentlich wird er als »Neokonservativer« bezeichnet, obwohl dieser Begriff in der spanischen Politik bedeutungslos ist; es klingt einfach schön amerikanisch. Außerdem kennt man ihn unter dem Spitznamen Darth Vader, was er so komisch findet, dass er die Maske als Profilbild auf Twitter verwendet. Als ich meinen Gesprächspartnern in Madrid erzählte, dass ich mich mit ihm getroffen hatte, runzelten sie die Stirn.

Doch die Definition dessen, was zum Establishment gehört und was nicht, ändert sich im Laufe der Zeit. Wie es der Zufall so will, kannte ich Bardají aus der Zeit, in der er in der spanischen Regierung und in einer scheinbar robusten und starken internationalen Allianz mitmischte. Etwa 2003 lernten wir uns bei einem Abendessen in Washington kennen. Bardají besuchte damals das American Enterprise Institute, einen konservativen Thinktank, in dem mein Mann ein Programm leitete, dessen Ziele heute reichlich sonderbar klingen. Es handelte sich um die New Atlantic Initiative, die der NATO im Zuge ihrer Osterweiterung neues Leben einhauchen und transatlantisch gesinnten Amerikanern und Europäern eine Plattform zum Ideenaustausch bieten sollte. Auf einer der Veranstaltungen des Instituts war John McCain als Gastredner eingeladen. Demokraten, die sich für die Rolle der Vereinigten Staaten in Europa interessierten, nahmen genauso teil wie Europäer, denen die Vereinigten Staaten am Herzen lagen: führende britische Tories, begeisterte Tschechen, gelegentlich der portugiesische Verteidigungsminister. John O'Sullivan war ein prominentes Gesicht der transatlantischen Welt. Bardají, ein liebenswürdiger, pro-amerikanischer und pro-israelischer Spanier, passte genau dorthin.

Das transatlantische Verteidigungsbündnis hatte damals natürlich nicht mehr dieselbe Geschlossenheit wie während des Kalten Krieges. Man hatte zwar in Kuwait und Bosnien zusammengearbeitet, doch es gab keinen gemeinsamen Feind mehr, zumindest nicht bis zum 11. September 2001. Die Anschläge auf das World Trade Center mobilisierten die Länder des Westens, wenn auch nicht in gleicher Weise: So nahmen zum Beispiel Franzosen und Deutsche am Afghanistankrieg teil, nicht aber am Irakkrieg. Dennoch gab es eine Koalition der Willigen, die Saddam Hussein bekämpfen wollten, darunter Aznar, der britische Premierminister Tony Blair, der dänische Ministerpräsident Anders Fogh Rasmussen und der polnische Präsident Aleksander Kwaśniewski. Kurzzeitig schien es eine feste Gruppe zu sein; wie Blair wird auch Aznar für immer damit in Verbindung gebracht werden. Ich besuchte ihn 2019 in seinem Büro in Madrid und konnte nicht umhin, die prominent aufgestellten Fotos zu bemerken, auf denen er im Nahen Osten neben Blair und George W. Bush steht. Es wirkt, als markierten diese Bilder den wichtigsten Moment seiner politischen Laufbahn.

Die Fotos schienen auch deshalb so aus der Zeit gefallen, weil die transatlantische Politik – der Glaube, der Menschen wie O'Sullivan oder Aznar zu einer internationalen Kohorte zusammenschweißte und sie starke Verbindungen zu amerikanischen und europäischen Konservativen knüpfen ließ – keine wichtige Kraft mehr ist, weder in Spanien noch anderswo. Politiker wie Aznar scheinen einer längst vergangenen Zeit anzugehören. Genau wie Bardají einige Jahre lang. Anderthalb Jahrzehnte beobachtete er vom Spielfeldrand aus das Kommen und Gehen von Regierungen, die für seinen Geschmack entweder zu links oder zu gemäßigt konservativ waren. So wie John Major mit seiner gemäßigten Politik nach Thatcher einige Konservative langweilte, so erzürnte der Partido Popular der 2010er Jahre einige seiner treuesten Anhänger. Als die Partei nach 2011 wieder an die Macht gewählt wurde, gebot sie nicht wie von ihnen erhofft dem Erstarken des Staates Einhalt. Sie hob das Gesetz zur häuslichen Gewalt nicht wieder auf, das ihrer Ansicht nach Männer zu Unrecht bestraft. Und sie unternahm nichts gegen die immer lauter werdende Kritik an der Franco-Ära. Mithilfe zweier Salzstreuer demonstrierte mir der Vox-Abgeordnete Iván Espinosa, wie er und seine Freunde die spanische Politik wahrnahmen. »Hier«, sagte er und stellte die beiden Streuer nebeneinander auf den Tisch. »Das war die spanische Politik der 1980er und 1990er. Und hier« – er legte einige Zentimeter entfernt eine Gabel daneben – »ist Spanien heute: auf der extremen Linken. Die Mitte und die Konservativen unternehmen nichts dagegen. Sie wehren sich nicht. Sie haben keine Ideen mehr.«[81]

Das Schlimmste war ihrer Ansicht nach, dass die Konservativen und Sozialdemokraten den katalanischen und baskischen Separatisten zu bereitwillig entgegenkamen. Abascal, selbst Sohn eines baskischen Politikers, der von der Terrorgruppe ETA bedroht wurde, Espinosa, Bardají und ihre Freunde waren wütend. Aber sie waren außerhalb der politischen Entscheidungsprozesse, sie hatten keinen Einfluss und saßen nicht in den Vorzimmern der Macht. Damals gründete Bardají ein Beratungsunternehmen und machte Geschäfte in Israel und den Vereinigten Staaten. Er arbeitete für Spaniens prominentesten außenpolitischen Thinktank. Dann eröffneten ihm Vox und Donald Trump einen Weg zurück in die Politik.

Er war nicht der Einzige. Die Sprache und Taktik von Trumps Wahlkampf zeigten vielen Leuten am Rand der Politik neue Möglichkeiten auf, und zwar nicht nur in den Vereinigten Staaten, sondern in aller Welt. Bardají ist selbst kein Alt-Right-Blogger und treibt sich nicht in obskuren Chatrooms herum, doch er erkannte, wie wirkungsvoll die Methoden der amerikanischen Rechten in Spanien wären. Damit ließ sich vielleicht nicht die Mehrheit gewinnen, aber immerhin eine beachtliche Minderheit.

Außerdem konnte man das spanische Establishment ärgern, das seiner Ansicht nach zu weit nach links gedriftet war und Menschen wie ihn ausgegrenzt hatte. »Macht Spanien wieder groß« war eine Art Provokation«, sagte er schelmisch zu mir. »Es sollte nur die Linke ein bisschen mehr ärgern.« Der Spaß an der Provokation des Establishments – ein typisches Breitbart'sches oder Brexiteer-Gefühl – ist in Madrid derselbe wie in den Vereinigten Staaten. Über einen gemeinsamen Freund machte Bardají die Bekanntschaft von Steve Bannon, und es gibt sogar ein Foto, auf dem die beiden zu sehen sind. Doch Bardají lacht über die Spekulationen, die das anheizte. Spanische Journalisten »messen Bannon eine Bedeutung zu, die er gar nicht hat«, sagte er mir.

In den 1990er Jahren hätte sich Bardají von Trump mit seiner Verachtung für Europa, die NATO und die Demokratie angewidert gefühlt. Doch wie die nostalgischen Tories war Bardají spätestens 2016 die freiheitliche Demokratie oder zumindest das Gerede davon leid. Als Spanier habe er ohnehin nicht mehr viel mit einer NATO zu tun, die Osteuropa vor Russland schützen soll, meinte er zu mir. Dagegen gefiel ihm der Gedanke, sich mit einem Weißen Haus zu verbünden, das zumindest anfangs den Eindruck machte, als wolle es dem radikalen Islam den Kampf ansagen. Trotz eines Jahrzehnts im politischen Abseits hatte er zahlreiche gemeinsame Interessen und Kontakte mit der Trump-Regierung – Beziehungen, die der sozialdemokratische Ministerpräsident nicht hatte. So kannte er zum Beispiel Trumps ersten Nahostunterhändler Jason Greenblatt. Er hatte gute Kontakte zur Netanjahu-Regierung, die wiederum der Trump-Administration nahestand, und durch seine Vermittlung bekam Vox die Unterstützung von Netanjahus Wahlkampfberatern. Nach Trumps Wahlsieg nahm er Kontakt zu Michael Flynn auf, dem ersten Nationalen Sicherheitsberater, sowie zu Flynns Nachfolger H. R. McMaster. 2017 reiste er nach Washington, um Trumps erste Reise zur NATO sowie seine Rede in Warschau vorzubereiten – jene legendäre Rede, in der Trump davon sprach, die christliche Welt zu verteidigen: »Der zivilisatorische Anspruch und die Notwendigkeit des Westens, sich zu verteidigen, darin waren wir uns völlig einig«, sagte Bardají

Obwohl der Anteil der Muslime in Spanien verhältnismäßig klein ist – die meisten Einwanderer kommen hier aus Lateinamerika –, hat der Gedanke, dass sich die christliche Zivilisation am islamischen Feind neu definieren muss, in Spanien natürlich eine lange historische Tradition. Diese nutzte Vox für ihre Zwecke. In einem Video besteigt Abascal ein Pferd, um wie einer der Ritter, die einst Andalusien von den Muslimen zurückeroberten, durch eine südspanische Landschaft zu reiten. Wie so viele Internet-Memes war es ernst und unernst zugleich: Im Hintergrund erklang die Titelmelodie von *Der Herr der Ringe.*

Bei den Beziehungen zwischen Vox und der Trump-Administration handelt es sich nicht um eine Verschwörung, sondern um gemeinsame Interessen und Strategien. Sie zeigen auch, wie Trumps Erfolg eine Gruppe von Leuten inspirierte, die in Spanien eine neue Sprache etablieren wollen – eine Sprache, die vor allem diejenigen ansprechen soll, die sich über die Debatte um Katalonien ärgern, denen die Spaltung Spaniens durch den modernen politischen Diskurs missfällt und die der Ansicht sind, dass die Projekte der gesellschaftlichen und kulturellen Reform zu weit gehen. Das sind dieselben Menschen, die fürchten, dass ihre Vorstellungen ganz und gar unterzugehen drohen. Bardají hält die Polarisierung der spanischen Politik für ein bleibendes Phänomen; dadurch sieht er nicht nur seine politische Karriere in Gefahr, sondern die Nation selbst. Wenn er und seine gleich gesinnten Freunde sich nicht einmischen, dann würde ihre Kohorte und alles, wofür sie steht, aus der Politik verschwinden, so seine Sorge. Das ist der eigentliche Grund für die Wut und Angst der Unterstützer von Vox, und er ist aufrichtig. Das Wichtigste, was Bardají zu mir sagte, war: »Es bricht eine Zeit an, in der sich die Politik vollkommen verändert. Politik ist Krieg mit anderen Mitteln – wir wollen nicht getötet werden, wir müssen überleben. ... Ich glaube, in der Politik geht es heute um alles oder nichts.«

Vox ist die erste politische Bewegung der Nach-Franco-

Ära, die gezielt auf denjenigen Teil der Bevölkerung zugeht, den die Polarisierung Spaniens beunruhigt. Die Radikalisierung Kataloniens wird ihnen mehr Unterstützer bescheren, genau wie die feministischen Proteste, die wütenden Wirtschaftsdebatten, die Wiederkehr der historischen Auseinandersetzungen und die Regierungsbeteiligung der linkspopulistischen Partei Podemos. Vox ist ein Projekt von Leuten, die das verstehen. Sie wissen auch, dass der Erfolg der Partei ihren Gründern, Sprechern, Meme-Machern und PR-Leuten neues politisches Leben einhaucht und Zugang zu einem wachsenden Netzwerk von Sponsoren, Fans und ähnlich gesinnten Internettrollen innerhalb Europas und außerhalb verschafft.

*

Bis vor Kurzem arbeiteten die Führungen der nationalistischen und identitären Parteien Europas kaum zusammen. Anders als die Christdemokraten und Konservativen, die mit ihrer Zusammenarbeit die Europäische Union schufen, sind die nationalistischen Parteien in ihrer jeweils eigenen Geschichte verwurzelt. Die französische Rechte hat ihre fernen Ursprünge im Vichy-Regime. Die nationalistische Rechte Italiens stand lange unter dem Einfluss der geistigen Erben von Benito Mussolini, darunter auch die Enkelin des Diktators. Die polnische PiS begründet sich im Flugzugabsturz von Smolensk und ihrem eigenen historischen Wahn. Versuche der Verbrüderung scheitern oft an alten Streitfragen. Die Beziehung zwischen der italienischen und der österreichischen Rechten ging in die Brüche, als die Rede auf die Zugehörigkeit von Südtirol kam, das früher österreichisch war. Beziehungen zwischen der Vox und der

italienischen Lega Nord, die als norditalienische Separatis-
tenbewegung begann, gerieten in schwieriges Fahrwasser,
als Matteo Salvini, der Führer der Lega, die katalanischen
Separatisten unterstützte.

Seit Kurzem ändert sich das jedoch. Nachdem die Intellektuellen und Ideologen der neuen Bewegungen lange
durch Grenzen und Geschichte getrennt waren, entde-
cken sie nun gemeinsame Themen, um die sie sich scharen
können – Themen, die grenzübergreifend funktionieren
und sich im Internet gut verkaufen. Eines ist der Widerstand gegen die Zuwanderung, vor allem die muslimischer
Migranten, ob diese nun real oder nur eingebildet ist. Ein
anderes ist ein sozial konservatives, religiös geprägtes Weltbild. Ein drittes Thema kann der Widerstand gegen die
Europäische Union und internationale Institutionen ganz
allgemein sein. Die Themen hängen nicht zusammen – es
gibt keinen Grund, warum man als Katholik nicht europa-
freundlich sein sollte, wie dies ja auch in der Vergangenheit
bei vielen der Fall war –, doch diejenigen, die daran glauben, haben eine gemeinsame Sache. Die Abneigung gegen
gleichgeschlechtliche Ehen, afrikanische Taxifahrer oder
»Eurokraten« kann selbst Spanier und Italiener einen, die
eine andere Haltung gegenüber ihren jeweiligen separatis-
tischen Bewegungen haben. Wenn sie die Geschichte und
alte Grenzstreitigkeiten beiseitelassen, können sie gemeinsame Kampagnen gegen die säkularisierten und multikulturellen Gesellschaften führen, in denen sie leben, und
gleichzeitig die Menschen ansprechen, die sich ein Ende
der kontroversen Debatten um diese Themen wünschen.

Nur wenige Politologen haben sich bislang mit dieser
neuen, grenzüberschreitenden Zusammenarbeit beschäftigt, darunter ein Datenauswerter namens Alto Data Ana-

lytics aus Madrid. Mithilfe intelligenter Programme wertet Alto die auf Twitter, Facebook, Instagram und anderswo gefundenen Daten aus. Vor den Wahlen in Spanien verbrachte ich einige Stunden in Madrid und traf mich mit einem Freund, der bei Alto arbeitet, aber nicht genannt und nicht in die spanische Politik hineingezogen werden möchte. Bei einem Abendessen in einem Restaurant (wo trifft man sich sonst in Spanien?) zeigte er mir elegante grafische Darstellungen des Online-Netzwerks der spanischen Politik. Er deutete auf ein großes Knäuel in der Mitte: die Mainstream-Konversation mit zahlreichen eng vernetzten Teilnehmern. Dann deutete er auf drei Cluster am Rand – Echokammern, deren Angehörige vor allem untereinander kommunizierten. Einer der Cluster gehörte zu den katalanischen Separatisten, ein anderer zu den Linksradikalen und der dritte zu Vox.

Das war nicht verwunderlich, denn jede dieser drei Gruppen arbeitet seit Langem an einer eigenen Identität. Es war auch keine Überraschung, dass in diesen drei Gemeinschaften die größte Zahl von »anormalen, hochgradig aktiven Nutzern«, sprich Bots oder quasi-professionellen Nutzern, zu finden waren. Die Hälfte davon fand sich im Cluster von Vox. Im Frühjahr 2019 hatte das britische Institute for Strategic Dialogue (ISD), das den Internetextremismus erforscht, ein Netzwerk von fast dreitausend dieser »anormalen, hochgradig aktiven Nutzer« entdeckt, das im Vorjahr rund 4,5 Millionen Vox-freundliche und antimuslimische Botschaften auf Twitter veröffentlicht hatte.[82]

Die Herkunft dieses Netzwerks ist unklar. Ursprünglich entstand es wohl als Opposition gegen die Maduro-Regierung in Venezuela. Nach den Terroranschlägen von Barcelona im Jahr 2017 schwenkte es dann auf Angstmache vor Zuwanderern um und verschärfte dabei allmählich den emotionalen Ton. Ein Teil des verbreiteten Materials stammt ursprünglich aus extremistischen Netzwerken, und alles passt zu Botschaften von Vox. Am 22. April 2019 etwa, eine Woche vor den spanischen Wahlen, twitterte das Netzwerk zum Beispiel Fotos von angeblichen »Unruhen in einem muslimischen Viertel in Frankreich«. In Wirklichkeit stammten die Bilder von regierungskritischen Demonstrationen aus Algerien.

Etwas anderes fiel Alto und ISD auf. Vox-Unterstützer, vor allem »anormale, hochgradig aktive Nutzer«, veröffentlichten mit großer Wahrscheinlichkeit Material einer Reihe konspirativer Internetseiten, die vor allem im Jahr vor den Wahlen 2019 eingerichtet wurden. Diese Seiten, die oft von einer einzigen Person betrieben wurden, wirkten auf den ersten Blick wie normale Seiten mit Regionalnachrichten, vermischten aber »konventionelle« Information mit extremistischen Artikeln und Überschriften, die von dort systematisch in die sozialen Netzwerke gepumpt wurden. In Italien und Brasilien entdeckten Alto und ISD ganz ähnliche Internetseiten, die in den Monaten vor den Wahlen des Jahres 2018 dort eingerichtet worden waren. In jedem dieser Fälle begannen diese Seiten im Jahr vor der Wahl mit der Veröffentlichung von extremistischem Material, in Italien über Zuwanderung, in Brasilien über Korruption und Feminismus. Und in beiden Ländern dienten sie dazu, rechte Themen zu verbreiten und zu verstärken, ehe diese Eingang in die etablierte Politik fanden. Dabei geht es nicht unbedingt darum, Falschinformationen zu verbreiten. Einige der Seiten tun das zwar auch, doch das wahre Ziel ist raffinierter. Es geht darum, falsche Erzählungen durchzusetzen, Themen zu wiederholen und einzubläuen, Nachrichten zu filtern, bestimmte Aspekte hervorzuheben und Ärger, Wut und Angst immer wieder zu schüren.

In Spanien gab es ein halbes Dutzend solcher Seiten, einige davon in recht professioneller Aufmachung, andere offensichtlich amateurhaft. Einige waren abgekupfert. Eine der unbekannteren Seiten zum Beispiel war im selben Stil gehalten und verwendete dieselbe Gestaltung wie eine brasilianische Pro-Bolsonaro Seite, so als seien beide von derselben Person oder demselben PR-Team gestaltet worden – moderne, technisch höchst versierte *clercs*. Am Tag vor der spanischen Parlamentswahl machte die Seite mit einer inzwischen vertrauten Verschwörungstheorie auf: George Soros beteilige sich an der Organisation von Wahlbetrug. Soros war in Spanien kaum bekannt, ehe er von Vox ins Gespräch gebracht wurde. Auf den Internetseiten von Vox finden sich die üblichen Geschichten über ihn; unter anderem hieß es da, er betreibe die Besiedlung Europas mit Muslimen.

Seiten wie diese finden sich in vielen Ländern. Die berüchtigte mazedonische Internetseite, die versuchte, Einfluss auf den US-Präsidentschaftswahlkampf zu nehmen, funktionierte nach einem ähnlichen Strickmuster, genau wie Verschwörungsseiten des QAnon-Netzwerks. Oder Facebook-Seiten, die während des amerikanischen Wahlkampfs 2016 vom russischen Militärgeheimdienst eingerichtet wurden, oder eindeutig von russischen Staatsmedien stammende Seiten wie *Sputnik* und RT. In den gesamten Vereinigten Staaten entstehen heute Seiten nach diesem Muster. 2019 entdeckte ein Reporter aus Michigan ein Netzwerk aus Internetseiten, die sich als regionale Nachrichtenseiten tarnten und offenbar gleichzeitig ins Netz gestellt wurden. Alle schauten sie aus wie »normale«

Zeitungen, und alle hatten sie vertraut klingende Namen: *Lansing Sun, Ann Arbor Times, Detroit City Wire.* Und alle mischten sie ähnliche parteiische Geschichten – etwa dass die Einwohner von Michigan Präsident Trump unterstützten – unter Berichte über die billigsten Tankstellen und Ähnliches. Sie waren eingerichtet worden, um ganz gezielt aufgeheizte und konspiratorische Echokammern zu bedienen.

Seit einigen Jahren arbeiten solche Seiten Hand in Hand, über Grenzen hinweg und in verschiedenen Sprachen. Im Dezember 2018 veranstalteten die Vereinten Nationen einen Migrationsgipfel, an dessen Ende eine unverbindliche Vereinbarung stand: der Globale Pakt für eine sichere, geordnete und reguläre Migration. Die Mainstream-Presse nahm diesen Pakt kaum wahr, doch Alto zählte rund 50 000 Twitter-Nutzer, die Verschwörungstheorien darüber verbreiteten. Mehrere Hundert davon taten dies gleich in mehreren Sprachen und wechselten zwischen Französisch, Deutsch, Italienisch und sogar Spanisch und Polnisch. Wie das spanische Unterstützernetzwerk von Vox übernahmen die Nutzer Material von extremistischen Websites, sie verwendeten dieselben Bilder, verlinkten aufeinander und twitterten einander über Grenzen hinweg.

Ein ähnliches internationales Netzwerk wurde 2019 nach dem Brand in der Kathedrale von Notre-Dame in Paris aktiv. ISD zählte Tausende Veröffentlichungen, die behaupteten, Muslime hätten das Feuer »gefeiert«, oder die Gerüchte und Bilder weitergaben, die beweisen sollten, dass es sich um Brandstiftung handelte. Eine unmittelbar danach eingerichtete Seite namens CasoAislado behauptete, in Paris feierten »Hunderte Muslime«; dazu zeigten sie Screenshots, die zu belegen schienen, wie Facebook-

Nutzer mit arabischen Nachnamen Fotos vom Brand mit Smileys veröffentlichten. Einige Stunden später twitterte Abascal dieses Bild und äußerte seine Abscheu vor diesen »Hunderten Muslimen«.[83] Er verlinkte dazu auf einen Post des Alt-Right-Verschwörungstheoretikers Paul Watson, der das Bild wiederum von einem rechtsradikalen französischen Aktivisten namens Damien Rieu hatte. »Islamisten wollen die europäische und westliche Zivilisation zerstören, indem sie das Feuer von #NotreDame feiern«, schrieb Abascal: »Nehmen wir das zur Kenntnis, ehe es zu spät ist«.

Solche und ähnliche Memes und Bilder wurden daraufhin durch Vox-Fangruppen auf WhatsApp und Telegram verschickt. Angehörige dieser Gruppen verbreiteten ein englischsprachiges Meme, das »Paris vor Macron« mit der Kathedrale von Notre-Dame und »Paris nach Macron« mit einer Moschee an deren Stelle zeigte. Außerdem verschickten sie Videos von Nachrichten über ein anderes Ereignis, das Verhaftungen und in einem nahen Auto gefundene Gasbomben zu zeigen schien. Es war ein Beispiel dafür, wie die amerikanische Alt-Right-Bewegung, europäische Rechte und Vox alle gleichzeitig und in mehreren Sprachen dieselbe Meldung verbreiteten, um in Europa und Nordamerika dieselbe Stimmung zu provozieren.

Diese teils unsichtbare Onlinewelt bekommt allmählich ein reales Gesicht. So wurde ich Zeugin, wie sich einige dieser neuen Akteure im Februar 2020 im opulenten Ballsaal eines italienischen Hotels die Hand reichten. Anlass war eine Konferenz, die vorgeblich zu Ehren von Ronald Reagan und Papst Johannes Paul II. abgehalten und unter anderem von John O'Sullivan und seiner staatlichen ungarischen Stiftung ausgerichtet wurde. Ich fühlte mich wie im Land hinter den Spiegeln auf dieser Veranstaltung, die zwei große Vertreter der offenen politischen Kultur des Westens und der demokratischen, wirtschaftlichen und kulturellen Integration Europas und Nordamerikas ehrte, während die meisten der Teilnehmer für das genaue Gegenteil standen. Thema der Veranstaltung war »Nationalismus«, doch was die Teilnehmer wirklich einte, war eine Abneigung gegen die Gesellschaften, in denen sie lebten, sowie die aufrichtige Angst, dass ihre Werte dort bald verloren gehen könnten. Ein Redner nach dem anderen – Amerikaner, Italiener, Franzose, Holländer, Brite, Pole, Spanier (ein Vox-Europaabgeordneter) – trat ans Pult und schilderte das Gefühl der politischen Verfolgung und den Eindruck, Dissident in einer Welt zu sein, die von »linkem«, »progressivem«, »aufklärerisch rational-liberalem« oder gar »totalitärem« Gedankengut beherrscht werde. Es war mitunter irritierend, wie weit sich die Redner von der politischen Wirklichkeit entfernt hatten. Viele beweinten den verlorenen Gedanken der »Nation«, und das mitten in Rom, wo mit Matteo Salvini gerade ein offen nationalistischer und chauvinistischer Politiker beste Aussichten hatte, Ministerpräsident zu werden.

Einige der Redner waren durchaus eloquent und sogar bewegend. Eine war Marion Maréchal-Le Pen, die charismatische Nichte der französischen Rechtsradikalen und zweifachen Präsidentschaftskandidatin Marine Le Pen. Maréchal teilte die Welt in »wir«, zu denen offenbar alle Konferenzteilnehmer gehörten, und »die andern«, zu denen sie den liberalen französischen Präsidenten Emmanuel Macron genauso zählte wie die französischen Stalinisten: »Wir wollen eine Brücke schlagen zwischen Vergangenheit und Zukunft, von der Nation zur Welt, von der Familie zur Gesellschaft. ... Wir stehen für Realismus, sie für Ideologie. Wir glauben an die Erinnerung, sie sind das

Vergessen.«[84] Just in diesem Moment befand sich Macron in Krakau, wo er sich als stolzen Franzosen *und* als stolzen Europäer präsentierte.[85] An diesem Tag sprach er ausführlich über Geschichte und Erinnerung, wie er das gern tut. Aber die Fans von Maréchal interessiert das wenig. Wenn es um Geschichte geht, hören sie wahrscheinlich lieber jemandem wie ihr zu, die Frankreich und französische Identität über ethnische Herkunft definiert. Oder vielleicht fühlen sie sich auch wie sie verfolgt und freuen sich, dass es jemand öffentlich ausspricht.

Während einiger deutlich weniger bewegender Vorträge über polnischen Patriotismus und die Glorie der Souveränität wurde das Publikum im Verlauf dieses Tages in Rom immer dünner. Doch zum Abschluss des Tages kehrten Journalisten und Kameraleute in den Saal zurück. Als der letzte Redner eintrat, wurde er mit stehenden Ovationen empfangen. Es war Viktor Orbán selbst, und viele der Besucher waren nur gekommen, um ihn zu hören. Nicht weil er ein besonders mitreißender Redner gewesen wäre, sondern weil er etwas erreicht hatte, das sich andere wünschten. Zwar hatten einige Redner über die erstickende linke Ideologie an Universitäten geklagt, doch Ungarn hat als einziges europäisches Land eine ganze Universität geschlossen, wissenschaftliche Einrichtungen wie die ungarische Akademie der Wissenschaften der staatlichen Kontrolle unterstellt und politisch missliebigen universitären Fachbereichen die Finanzierung gestrichen. Viele klagten über »linke« Medien, doch Ungarn ist auch das einzige Land, das private und öffentliche Medien mit einer Mischung aus politischem und finanziellem Druck unter die Kontrolle der Regierungspartei gebracht hat. Das macht ihn zum Vorbild für aufstrebende autoritäre Parteien und Politiker, von denen bislang die wenigsten an der Macht sind. Ungarn ist kein großes Land, doch in Sachen Kontrolle und Macht ist es ihr Vorbild.

Orbán hielt keinen Vortrag. Vielmehr wurde er gebeten, das Geheimnis seines Erfolgs zu erläutern. Ohne mit der Wimper zu zucken, erklärte er, wie wichtig es sei, die Macht nicht mit anderen Parteien zu teilen – auf die Manipulation, den Wahlbetrug und die gründlichen Manöver, mit denen er seine Mehrheit sicherte, ging er nicht ein. Stattdessen führte er aus, wie nützlich es sei, die Medien auf seiner Seite zu haben. Im hinteren Bereich des Saals, wo die Journalisten saßen, waren einige Lacher zu hören. Den übrigen Anwesenden war keineswegs nach Lachen zumute, sie sahen es genauso – sie wussten, wovon die Rede war.

Kapitel 5: **Steppenbrand**

Mit ihrem Gründungsmythos, ihrem Verfassungskult, ihrer geografischen Isolation und ihrer zwei Jahrhunderte während wirtschaftlichen Erfolgsgeschichte waren Amerikaner lange überzeugt, ihre freiheitliche Demokratie sei unangreifbar. Die Gründerväter selbst waren sich da allerdings weniger sicher: Die von ihnen so geschätzten antiken Autoren lehrten, dass sich die Geschichte wiederholt, dass der Mensch ein mängelbehaftetes Wesen ist und dass besondere Maßnahmen erforderlich sind, um zu verhindern, dass die Demokratie wieder in die Tyrannei zurückfällt. Heute glauben die wenigsten Amerikaner, dass sich Geschichte wiederholt. Im Gegenteil, ihre Geschichte ist eine des Fortschritts, immer weiter vorwärts und aufwärts, mit dem Bürgerkrieg als kleinem Knick in der Mitte. Kulturpessimismus ist nichts für ein Land, das mit den Tellerwäscher-Geschichten von Horatio Alger groß wurde und sich von Gott auserwählt wähnt. Pessimismus ist ein fremdes Gefühl in einer Nation, deren Gründungsdokument als Inbegriff der Aufklärung die vielleicht optimistischste je formulierte Darstellung der demokratischen Herrschaft enthält.

Mehr noch: Dieser Optimismus wurde seit dem Jahr 1776 in der politischen Kultur der Vereinigten Staaten institutionalisiert. Damals hielt man es in der übrigen Welt noch nicht »für ausgemacht, dass alle Menschen gleich erschaffen worden« sind, wie es in der Präambel der Unabhängigkeitserklärung heißt. Und es war auch noch lange nicht ausgemacht, dass »wir, das Volk« in der Lage sein würden, den »Bund zu vervollkommnen«, wie es in der Verfassung von 1787 heißt, oder dass »wir, das Volk« in der Lage sein würden, uns überhaupt selbst zu regieren. Trotzdem schrieb eine Gruppe von Männern an der Ostküste eines damals wilden Kontinents diese Worte nieder und gründete Institutionen, die sie in die Tat umsetzen sollten. Sie hatten keine naiven Vorstellungen von der menschlichen Natur und glaubten nicht, dass sie sich verbessern ließ. Stattdessen wollten sie ein System der Gewaltenteilung und gegenseitigen Kontrolle schaffen, das die Menschen dazu brachte, sich besser zu verhalten. Weder damals noch später gaben ihre hochfliegenden Worte immer die Wirklichkeit wieder. Und weder damals noch später funktionierten die Institutionen immer so wie beabsichtigt. Doch im Lauf der Zeit erwiesen sich die Worte als mächtig und die Institutionen als flexibel genug, um immer weitere Kreise von Bürgern einzubeziehen, und zwar nicht nur Männer, sondern auch Frauen, Besitzlose, ehemalige Sklaven und Einwanderer aus allen Kulturen. Wenn die Institutionen versagten, wie das manchmal der Fall war, dann wurden die Worte zitiert und wiederholt, um die Bürger zu einem Neuanfang zu motivieren. Abraham Lincoln bezeichnete die Vereinigten Staaten als »letzte und beste Hoffnung der Erde«.[86] Und Martin Luther King träumte davon, »dass sich diese Nation eines Tages erheben und der wahren Bedeutung seines Glaubensbekenntnisses gerecht werden wird: ›Wir halten diese Wahrheiten für ausgemacht, dass alle Menschen gleich erschaffen worden sind.‹«[87]

145

Von Anfang an war man außerdem überzeugt, dass diese neue Nation anders war als andere. Thomas Jefferson glaubte, dass sich die Demokratie in den Vereinigten Staaten durchsetzen würde, auch wenn sie in Frankreich gescheitert war, weil die Amerikaner durch ihre einmalige Geschichte und Erfahrung darauf vorbereitet seien. Amerikaner trügen »von der Wiege an« den Glauben an die Demokratie in sich und seien auch deshalb etwas Besonderes, weil sie sich von Europa und seiner sich endlos wiederholenden Geschichte befreit hatten: »frei von der elterlichen Herkunft und deren Krankheiten«.[88] Von Alexis de Tocqueville bis Ronald Reagan wurde diese »Sonderstellung« ganz unterschiedlich interpretiert. Doch was den amerikanischen Patriotismus immer einmalig machte, war die Tatsache, dass er nie einen ausdrücklichen Zusammenhang mit einer bestimmten Ethnie oder Herkunft herstellte. In Reagans Rede über die »leuchtende Stadt auf dem Hügel« aus dem Jahr 1989, dem Höhepunkt seiner nationalistischen Rhetorik über »amerikanische Größe« und »amerikanische Sonderstellung«, bezog er sich ausdrücklich auf die Gründungsdokumente der Vereinigten Staaten, nicht auf die Geografie oder eine amerikanische Rasse.[89] Reagan forderte die Amerikaner auf, sich um die Verfassung zu scharen, nicht um Blut und Boden: »Solange wir uns an unsere obersten Grundsätze erinnern und an uns selbst glauben, wird die Zukunft immer uns gehören.«

Doch von Beginn an gab es immer auch Alternativen, andere Vorstellungen von der Zukunft der Vereinigten Staaten und andere Definitionen der Nation. Wie nicht harmonierende Stimmen in einem lauter werdenden Chor gab es immer Gruppen mit einer tief sitzenden Abneigung gegen die amerikanischen Ideale, die mehr als Überdruss an der aktuellen Regierung war. Seit 1776 gab es immer Menschen, die das amerikanische Projekt als naiv, furchteinflößend, despotisch oder irregeleitet empfanden. Nach der Unabhängigkeit flohen Zehntausende Loyalisten nach Kanada, später sagten sich die Südstaaten los. Bei einigen war die Enttäuschung so tief und die Wut so groß, dass sie drastische Schlüsse zogen und drastische Schritte unternahmen.

In den vergangenen anderthalb Jahrhunderten kamen die verzweifeltsten und apokalyptischsten Visionen der amerikanischen Zivilisation überwiegend von der Linken. Angestoßen durch europäische Denker und Bewegungen wie Marxismus, Bolschewismus und Anarchismus beklagten die amerikanischen Radikalen des späten 19. und frühen 20. Jahrhunderts den Aufstieg einer modernen Hölle und warfen dem amerikanischen Kapitalismus vor, diese noch weiter anzuheizen. Die Anarchistin Emma Goldman sprach einer ganzen Generation von Intellektuellen und Aktivisten aus dem Herzen, als sie 1917 ihre Ansichten über die verlogenen amerikanischen Institutionen zu Papier brachte: »Eine freie Republik! Wie sich doch ein Mythos hält und wie er selbst vergleichsweise intelligente Menschen mit seinen monströsen Absurditäten täuscht, verführt und blendet!«[90]

Besonders angewidert war Goldman von den militärischen Abenteuern der Vereinigten Staaten im Ausland und von dem Patriotismus, mit dem sie ummäntelt wurden. »Was ist Patriotismus?«, fragte sie 1908 in einem Aufsatz.[91] Ist er »ein Ort der Erinnerungen und Hoffnungen, der Träume und Ziele der Kindheit?« Nein, das ist er nicht, schrieb sie:

Wenn das Patriotismus wäre, dann wären heute nur wenige Amerikaner Patrioten, denn ihr Spielplatz wurde zur Fabrik, zur Mühle und zum Bergwerk, und an die Stelle der Musik der Vögel ist der ohrenbetäubende Lärm der Maschinen getreten. Wir können die Geschichten von großen Taten nicht mehr hören, denn die Geschichten, die unsere Mütter uns heute erzählen, handeln nur noch von Leid, Tränen und Trauer.

Für Goldman waren der amerikanische Traum ein falsches Versprechen und die Vereinigten Staaten selbst ein Ort von »Leid, Tränen und Trauer«. Mit dieser Überzeugung griff sie zu den extremsten Formen des Protests. Ihr Weggefährte und Partner Alexander Berkman wurde nach einem Anschlagsversuch auf den Industriellen Henry Clay Frick zu einer Gefängnisstrafe verurteilt; Berkman war auch an einem gescheiterten Bombenattentat auf das Haus von John D. Rockefeller, Jr. beteiligt. Später lehnte sie Gewalt zwar ab, und nach ihrer Ausweisung nach Russland war sie zutiefst erschüttert über die bolschewistische Realität, doch 1917 äußerte sie Verständnis für die »modernen Märtyrer, die ihre Überzeugungen mit Blut bezahlen und den Tod mit einem Lächeln willkommen heißen, weil sie so sicher wissen wie Christus, dass sie mit ihrem Martyrium die Menschheit erlösen werden«.[92]

Diese Sprache tauchte fünfzig Jahre später bei den Weathermen wieder auf. In den 1970er Jahren warf diese militante Gruppe Molotow-Cocktails auf das Haus eines New Yorker Verfassungsrichters, erklärte den Vereinigten Staaten den Krieg und sprengte beim Bombenbau versehentlich ein Wohnhaus in Greenwich Village in die Luft.

Wie die Anarchisten früherer Zeiten hatten sie kein Vertrauen in das politische System der Vereinigten Staaten und glaubten nicht, dass es in der Lage war, sinnvolle politische Veränderungen zu bewirken. In ihrem bekanntesten Pamphlet mit dem Titel »Steppenbrand« beklagten sie die »hirntötende Ideologie des Konformismus und Reformismus«, die Menschen mit bürgerlichen Vorstellungen trösten will.[93] Die »Politik der Trippelschritte« – damit meinten sie den normalen Gang der amerikanischen Politik – »geht davon aus, dass die amerikanische Gesellschaft im Wesentlichen gut ist, und steht im Widerspruch zur revolutionären Sichtweise, dass das System im Kern verfault ist und gestürzt werden muss«. Die Weathermen glaubten nicht, dass die amerikanische Gesellschaft im Grunde gut war. Sie waren der Ansicht, dass das System durch und durch faul war. Wie Lenin verachteten sie gewählte Politiker und Parlamente und waren frustriert und gelangweilt von der Vorstellung, eine Anhängerschaft aufzubauen oder um Wählerstimmen zu werben.

Noch wütender waren sie auf die Vorstellung der amerikanischen Sonderstellung. Ihrer Ansicht nach waren die Vereinigten Staaten keineswegs etwas Besonderes. Den ehernen Gesetzen des Marxismus zufolge würde die Revolution früher oder später auch Amerika erreichen und seinem verderblichen Einfluss auf die Welt Einhalt gebieten. Ihr Zorn auf den Gedanken der amerikanischen Sonderstellung findet sich auf der Linken bis heute. So scheut zum Beispiel der Historiker Howard Zinn, Autor einer Geschichte der Vereinigten Staaten, die Rassismus, Sexismus und Unterdrückung in den Mittelpunkt stellt, keine Mühen, die »Mythen der amerikanischen Sonderstellung« zu entlarven.[94] In den vergangenen zwei Jahrzehnten wurden Dutzende Artikel veröffentlicht, die diese Aussage in der einen oder anderen Form im Titel tragen. Die Ablehnung gegenüber den Vereinigten Staaten wird in endlosen Kolloquien, Seminaren und öffentlichen Veranstaltungen wiedergekäut, wo immer sich heute Menschen zusammenfinden, die von der amerikanischen Idee enttäuscht sind.

Es gibt allerdings noch eine andere Gruppe von Amerikanern, die in ihrer Enttäuschung über die amerikanische Demokratie zu ähnlich radikalen Schlussfolgerungen gelangt und ebenfalls bis heute hörbar ist. Wenn der Grund für den Missmut der Linken die zerstörerischen Kräfte des Kapitalismus, Rassismus und Militarismus der Vereinigten Staaten sind, dann ist er für die christliche Rechte die vermeintliche moralische Verderbtheit, die Dekadenz, die Vermischung der Rassen und vor allem die immer weiter fortschreitende Säkularisierung der modernen Vereinigten Staaten. Michael Gerson, Evangelikaler und kritischer Beobachter des »politischen Christentums«, schreibt, ein Teil der christlichen Fundamentalisten sei heute überzeugt, die Vereinigten Staaten seien unwiderruflich vom rechten Weg abgekommen. Gerson, einstiger Redenschreiber von George W. Bush, der sich wie ich von seinen früheren Freunden entfremdet hat, beschreibt die Ansichten seiner einstigen Mitstreiter so: »Ein neues und besseres Zeitalter bricht erst mit dem Jüngsten Gericht an, denn nur Christus ist in der Lage, mit diesem Chaos aufzuräumen. Keine menschliche Anstrengung kann diesen Tag herbeiführen oder diese der Verdammnis anheimgegebene Welt retten.«[95] Es hat also gar keinen Zweck, die Welt vor dem Jüngsten Gericht besser machen zu wollen, und wahrscheinlich wird sowieso alles noch viel schlechter werden. Eric Metaxas, Moderator eines evangelikalen Radiosenders, erklärte gar vor der Präsidentschaftswahl des Jahres 2016, ein Sieg von Hillary Clinton wäre der Untergang der Republik: »Nur im Bürgerkrieg und im Unabhängigkeitskrieg standen wir je vor einem ähnlichen Existenzkampf.«[96] Franklin Graham, Sohn des Predigers Billy Graham und Präsident der Liberty University, wählte während der Präsidentschaft von Barack Obama noch drastischere Worte: »Ich glaube, nach Gottes Uhr sind wir in der Stunde vor Mitternacht, wenn nicht in den letzten Minuten … Wenn Sie sich ansehen, wie rasch unser Land verkommt, wie rasch die Welt moralisch verkommt – vor allem unter dieser Regierung hat sie einen Köpfer vom moralischen Sprungbrett direkt in die Kloake gemacht.«[97]

Unter den Rechtsradikalen ist diese zutiefst pessimistische Sicht der Vereinigten Staaten nichts Neues. In der einen oder anderen Version wurde sie den Amerikanern seit mindestens drei Jahrzehnten immer wieder aufgetischt. Einer der bekanntesten Vertreter ist Patrick Buchanan, der zwar Katholik ist, der jedoch dasselbe apokalyptische Weltbild vertritt wie die Evangelikalen. 1999 verkündete Buchanan, er trete aus der Partei der Republikaner aus und lasse sich als Kandidat der Reform Party zur Präsidentschaftswahl aufstellen. In seiner Ankündigung beklagte er den Verlust einer »Populärkultur, die die Werte des Glaubens, der Familie und des Vaterlandes trägt; der Vorstellung, dass wir Amerikaner ein Volk sind, das gemeinsam leidet und sich opfert und das gemeinsam vorwärtsschreitet; des gegenseitigen Respekts, der Anerkennung von Grenzen, der guten Manieren. All das gibt es nicht mehr.«[98] In aktuelleren Variationen dieser Klage schildert er seinen Kulturpessimismus detaillierter, so zum Beispiel im Frühjahr 2016:

In der Populärkultur der 40er und 50er Jahre waren weiße Männer ein Vorbild. Sie waren Ermittler und Polizisten, die Verbrecher bekämpften, und sie waren Helden, die auf den Schlachtfeldern in Europa und im Pazifik den Zweiten Weltkrieg gewonnen haben. Für weiße Kinder wurde die Welt seither auf den Kopf gestellt. Die Geschichtsbücher der Schule wurden umgeschrieben, alte Helden wurden ausgelöscht, ihre Denkmäler abmontiert und ihre Fahnen verstaut.[99]

Grund für Buchanans Pessimismus ist zum einen das Gefühl des Bedeutungsverlusts der Weißen, zum anderen aber auch, genau wie auf der Linken, die Ablehnung der amerikanischen Außenpolitik. Anfangs vertrat er den üblichen Isolationismus, doch inzwischen scheint er zu dem Schluss gekommen zu sein, dass der amerikanische Einfluss in der Welt schädlich oder gar satanisch ist. 2002 erklärte er im Fernsehen: »Die Anschläge des 11. September sind eine direkte Folge der Einmischung der Vereinigten Staaten in eine Weltregion, in der wir nichts zu suchen haben und nicht erwünscht sind.«[100] Diese Aussage hätte auch von Noam Chomsky oder jedem anderen linken Kritiker der Vereinigten Staaten stammen können.

Aber es kommt noch merkwürdiger. Nachdem Buchanan jahrzehntelang gegen die sowjetischen Märchen angewettert hatte, ging er nun dem von Putins Politingenieuren in die Welt gesetzten russischen Märchen auf den Leim, dem zufolge Russland ein gottgefälliges christliches Land ist, das seine ethnische Identität schützt. Es ist Buchanan egal, dass nur ein Bruchteil der Russen zur Kirche geht und weniger als fünf Prozent angeben, die Bibel gelesen zu haben; dass Russland ein Vielvölkerstaat mit vielen Sprachen ist und mehr muslimische Einwohner hat als die meisten anderen europäischen Staaten; dass in der autonomen Teilrepublik Tschetschenien die Scharia herrscht, Frauen Schleier tragen müssen und homosexuelle Männer gefoltert werden; und dass in Russland viele Formen des evangelikalen Christentums verboten sind. Die Propaganda mit Fotos von Putin vor der Ikone Unserer Lieben Frau von Kasan und Aufnahmen von religiösen Feierlichkeiten bei seiner Amtseinführung beeindruckten Buchanan offenbar so, dass er Russland nun für einen den Vereinigten Staaten überlegenen ethnischen Nationalstaat hält. Die USA seien dagegen eine »multikulturelle, multiethnische, vielrassige und vielsprachige ›universelle Nation‹ mit Barack Obama als ihrem Avatar«.[101]

Wie viele der amerikanischen Linksradikalen sind auch die Rechtsradikalen des Landes offen für Gewalt. Man muss gar nicht bis zur Entstehung des Ku-Klux-Klan zurückgehen, um die Geschichte des Oklahoma-Bombers Timothy McVeigh, des Charleston-Schützen Dylann Roof oder der zahllosen Einzelgänger und Milizen zu erzählen, die zur vermeintlichen Rettung einer gefallenen Nation Massenmorde planten und planen. 2017 zündeten Milizen aus Illinois eine Bombe in einer Moschee in Minnesota. 2018 ermordete ein Mann elf Menschen in einer Synagoge von Pittsburgh, weil er glaubte, dass sich Juden gegen das weiße Amerika verschworen hatten. Im Januar 2019 plante eine Gruppe, die sich als »Kreuzfahrer« bezeichnete, einen Bombenanschlag auf einen Wohnkomplex in Garden City, Kansas, um Flüchtlinge aus Somalia zu töten. Diese Gruppen und Bewegungen sind überzeugt, dass die Demokratie nichts wert ist, dass Wahlen nichts verändern und dass sich der Niedergang der Vereinigten Staaten nur durch extreme Verzweiflungstaten aufhalten lässt.

In den letzten Jahren gingen einige Haltungen der alten marxistischen Linken, allen voran ihr Hass auf bürgerliche Politik und ihre Umsturzfantasien, eine sonderbare Verbindung mit der Verzweiflung der christlichen Rechten angesichts der Zukunft der amerikanischen Demokratie ein. Gemeinsam lieferten sie die Rhetorik für den restaurativ nostalgischen Wahlkampf von Donald Trump. 2014 wütete Trump gegen den Niedergang der Vereinigten Staaten und forderte eine Lösung, gegen die auch Trotzki nichts einzuwenden gehabt hätte: »Wissen Sie, was die Lösung ist? Wenn die Wirtschaft zusammenbricht, wenn das Land zur Hölle fährt und alles Chaos ist. Dann kommt ein Aufstand, damit wir dahin zurückgehen, wo wir waren, als wir groß waren.«[102] Schon vier Jahre zuvor orakelte sein Berater Steve Bannon, der sich gern mit Lenin verglich, über die Notwendigkeit eines Krieges: »Es sind dunkle Tage nötig, ehe wir den blauen Morgenhimmel über Amerika zurückbekommen. Wir brauchen massives Leid. Wer behauptet, dass wir kein Leid brauchen, der macht Ihnen etwas vor.«[103] In einer anderen Rede bezog er sich 2010 direkt auf das Manifest der Weathermen und zitierte aus dem Lied von Bob Dylan, von dem sie ihren Namen hatten: »Wir brauchen keinen Wettermann, um zu wissen, woher der Wind weht, und der Wind weht von der Hochebene dieses Landes her, er weht über die Steppe und entzündet ein Feuer, das im November Washington erreicht.«[104]

Trumps Antrittsrede, die unter anderem aus der Feder von Bannon stammte, enthielt ebenfalls so manche Floskel aus dem Repertoire des rechten und linken Anti-Amerikanismus. Dazu gehörte auch die linke Abscheu gegen das »Establishment«, das »sich selbst beschützt, aber nicht die Bürger dieses Landes«: »Ihre Siege waren nicht unsere Siege;

ihre Triumphe waren nicht unsere Triumphe; und während sie in der Hauptstadt unseres Landes feierten, hatten die leidenden Familien im Land wenig zu feiern.«[105] Dazu kam die evangelikale Verzweiflung über den moralischen Niedergang der Nation, »das Verbrechen und die Banden und die Drogen, die zu viele Leben gekostet und unserem Land zu viel unverwirklichtes Potenzial geraubt haben«.

In der Antrittsrede äußerte er keine Sehnsucht nach einer reinigenden Phase der Gewalt, wohl aber in der Rede zur westlichen Zivilisation, die er im Juli 2017 in Warschau hielt und an der Bardají und seine Freunde mitgewirkt hatten. Einiges von dem, was er da vom Teleprompter ablas, schien Trump selbst zu überraschen (»Schau mal einer an!«, sagte er, als er vorlas, dass Kopernikus aus Polen stammte), denn er hatte die Rede natürlich nicht selbst geschrieben. Die wahren Autoren, darunter Bannon und Stephen Miller, wärmten einige der Gedanken aus der Antrittsrede wieder auf: »Das Volk, nicht die Elite, war der Grundstein unserer Freiheit und das Bollwerk unserer Verteidigung«, schrieben sie, als sei Trump kein reicher und elitärer Unternehmer, der sich vor dem Wehrdienst gedrückt und andere an seiner Stelle hatte kämpfen lassen.[106] In einem Abschnitt, in dem es um den Aufstand im Warschauer Ghetto ging – einem entsetzlichen Gemetzel, bei dem der polnische Widerstand trotz seines mutigen Kampfes von den Nazis ausgelöscht wurde –, ließen sie Trump verkünden: »Diese Helden erinnern uns daran, dass der Westen mit dem Blut von Patrioten gerettet wurde und dass jede Generation aufstehen und ihren Part bei seiner Verteidigung spielen muss.« Der bedrohliche Unterton war kaum zu überhören: »Jede Generation« bedeutet natürlich, dass auch unsere Generation in der kommenden Schlacht ihren Blutzoll entrichten

muss, um Amerika vor seiner eigenen Verderbtheit und
Korruption zu retten.

Trump steuerte neue Elemente zu dieser Geschichte bei.
Die apokalyptischen Fantasien der Rechtsradikalen und
den revolutionären Nihilismus der Linksradikalen ergänzt
er durch den Zynismus eines Mannes, der jahrelang in aller
Welt seine schmutzigen Geschäfte gemacht hat. Trump
weiß nichts von der amerikanischen Geschichte und kann
deshalb auch kein Vertrauen in sie haben. Er versteht die
Sprache der Gründerväter nicht und hat auch nichts für sie
übrig, und deshalb kann er auch nicht von ihr inspiriert
sein. Da er die amerikanische Demokratie für schlecht hält,
hat er auch kein Interesse an einem Amerika, das anderen
Nationen ein Vorbild sein will. In einem Interview mit Bill
O'Reilly von Fox News brachte er 2017 seine Bewunderung für den russischen Diktator Wladimir Putin zum Ausdruck und beantwortete eine kritische Frage des Mode-
rators mit einem klassischen sowjetischen Gegenangriff.
»Aber er ist ein Mörder«, sagte O'Reilly. Worauf Trump:
»Aber es gibt viele Mörder. Glauben Sie, unser Land ist
so unschuldig?«[107] Zwei Jahre zuvor hatte er sich in einem
Fernsehinterview mit Joe Scarborough schon ähnlich über
Putin geäußert: »Er führt sein Land und ist wenigstens ein
Führer. Anders als hierzulande. ... Ich glaube, unser Land
begeht auch reichlich Morde, Joe, dass Sie's nur wissen.«[108]

Dieses Gerede von »Putin ist ein Mörder, aber das sind
wir doch alle« klingt genau wie Putins Propaganda, die oft
auf die Aussage hinausläuft »Ja, Russland ist korrupt, aber
das sind doch alle«. Diese moralische Gleichmacherei höhlt
jede Überzeugung, jede Hoffnung und jeden Glauben aus,
dass wir die Ideale der Verfassung umsetzen können. Das
Argument hilft auch Trump, denn es gibt ihm das Recht,

zu töten, korrupt zu sein und sich nicht um die Regeln zu scheren, »genau wie alle anderen auch«. Auf einer Fahrt nach Dallas musste ich mir dieses Argument von einer reichen Unterstützerin des Präsidenten anhören. Natürlich ist er korrupt, sagte sie zu mir – aber ihrer Ansicht nach waren die Präsidenten vor ihm auch nicht besser. »Wir haben es nur nicht mitbekommen.« Diese Auffassung gab ihr, einer aufrechten Bürgerin und gesetzestreuen Patriotin, das Recht, einen korrupten Präsidenten zu unterstützen. Wenn alle korrupt sind und schon immer waren, dann ist jedes Mittel recht, das zum Sieg führt.

Das behaupten natürlich seit jeher die anti-amerikanischen Extremisten, die Links- und Rechtsradikalen: Die amerikanischen Ideale sind unaufrichtig, die amerikanischen Institutionen sind verlogen, das amerikanische Verhalten im Ausland ist bösartig, die zentralen Begriffe des amerikanischen Projekts – Gleichheit, Gerechtigkeit, Möglichkeiten – sind nichts als Worthülsen. Nach Ansicht dieser Verschwörungstheoretiker stehen hinter allem in Wirklichkeit mächtige Konzerne oder Bürokraten des »Deep State«, die Wähler manipulieren und mit den kitschigen Floskeln Thomas Jeffersons hinter sich bringen. Um diese Intriganten zu stürzen, ist jedes Mittel recht. Die Weathermen wetterten in ihrem Manifest gegen »das Justizministerium und die Typen im Weißen Haus und von der CIA«.[109] Genau wie Trump in unseren Tagen. »Man schaut sich die Korruption an der Spitze des FBI an, es ist eine Schande«, sagte er in seinem zweiten Amtsjahr im Frühstücksfernsehen bei *Fox and Friends*.[110] »Und unser Justizministerium, von dem ich mich fernzuhalten suche – aber ab einem bestimmten Punkt nicht mehr.« Etwas später war es so weit.

Diese Form der moralischen Gleichmacherei – die

Behauptung, die Demokratie unterscheide sich im Grunde nicht von der Autokratie – ist bekannt und bei Autoritären seit Langem beliebt. Schon 1985 warnte die Wissenschaftlerin und Reagans UN-Botschafterin Jeane Kirkpatrick die Vereinigten Staaten und ihre Verbündeten vor den Gefahren der moralischen Gleichmacherei, wie sie seinerzeit von der Sowjetunion betrieben wurde. Waffen, Raketen und Atomsprengköpfe seien gefährlich für Demokratien, aber nicht annähernd so gefährlich wie eine bestimmte Form des Zynismus. Sie schrieb: »Um eine Gesellschaft zu zerstören, muss man zuerst den Institutionen, auf denen sie beruht, die Legitimation entziehen.«[111] Wer glaubt, dass sich amerikanische Institutionen nicht von denen der anderen unterscheiden, der hat auch keinen Grund, sie zu verteidigen. Das gilt natürlich auch für transatlantische Institutionen. Um die NATO, dieses Verteidigungsbündnis von Demokratien, zu zerstören, »muss man nur den Bürgern der demokratischen Gesellschaften das Gefühl einer gemeinsamen moralischen Sache nehmen, das die gemeinsame Identität und Anstrengung trägt.«

Trumps Wahlsieg von 2016 war der Triumph ebendieser Art von moralischer Gleichmacherei. Amerika ist nicht mehr die »leuchtende Stadt auf dem Berg«, sondern auch nicht besser als Putins Russland mit seinen Mördern. Es ist nicht mehr der Führer der »Bürger demokratischer Gesellschaften«, sondern es gilt: »America First«. Statt sich an der Spitze einer großen internationalen Allianz zum Wohl der Menschheit zu sehen, ist das Schicksal anderer Nationen gleichgültig, auch wenn diese Nationen dieselben Werte vertreten. »Amerika hat kein Interesse daran, sich zwischen verfeindeten Parteien zu entscheiden, deren Animositäten in Osteuropa Jahrhunderte zurückreichen«, schrieb Trump beziehungsweise sein Ghostwriter im Jahr 2000.[112] »Ihre Konflikte sind es nicht wert, amerikanische Leben zu opfern.« Das ist nicht etwa eine Anklage gegen die amerikanische Beteiligung am Golfkrieg. Das ist eine Anklage gegen die amerikanische Beteiligung in der Weltpolitik seit Beginn des 20. Jahrhunderts, eine Anklage gegen das Eingreifen der Vereinigten Staaten in zwei Weltkriegen und dem Kalten Krieg und damit eine Rückkehr zur Fremdenfeindlichkeit und Nabelschau des Isolationismus der 1920er Jahre, als Trumps Vater verhaftet wurde, weil er zusammen mit Angehörigen des Ku-Klux-Klan randaliert hatte.

Und genau das hat Trump gezeigt: Unter dem amerikanischen Konsens und dem Glauben an die Verfassung und ihre Ideale liegt ein anderes Amerika: Buchanans Amerika, Trumps Amerika, das keinen Unterschied zwischen Demokratie und Diktatur erkennen mag. Dieses Amerika fühlt sich anderen Demokratien nicht verbunden, und es nimmt keine »Sonderstellung« ein. Dieses Amerika hat keinen besonderen demokratischen Geist, wie ihn Jefferson beschrieb. Die Einheit dieses Amerikas basiert auf der weißen Hautfarbe, der Zugehörigkeit zu einer bestimmten Vorstellung von Christentum und einer Mauer. Der ethnische Nationalismus dieses Amerikas erinnert an die altmodischen ethnischen Nationalismen vergangener europäischer Nationen. Der Kulturpessimismus dieses Amerikas erinnert an deren Kulturpessimismus.

Das Überraschende ist weniger, dass es diese Definition der Vereinigten Staaten gibt: Es hat sie schon immer gegeben. Das Überraschende ist vielmehr, dass sie ausgerechnet aus jener politischen Partei kommt, die seit jeher besonders demonstrativ Fahnen, Banner und patriotische Symbole schwenkt, um die amerikanische Identität zu zelebrieren.

Damit aus der Partei von Ronald Reagan die Partei von Donald Trump werden konnte und damit die Republikaner die amerikanischen Ideale aufgeben und stattdessen die Rhetorik der Verzweiflung übernehmen konnten, war ein radikaler Umbruch nötig, und zwar nicht nur in der Gefolgschaft der Partei, sondern unter ihren *clercs.*

*

»Es war Zeit für Cocktails nach der Eröffnungssitzung des neuen, von den Republikanern beherrschten Kongress, und der lange, von Kronleuchtern erhellte Salon in David Brocks Stadthaus in Georgetown füllte sich mit ausgelassenen jungen Konservativen, die gerade vom Capitol Hill kamen.«[113] So begann 1995 die Titelgeschichte des *New York Times Magazine* über »Die Gegen-Gegenkultur«. Autor war der unlängst verstorbene James Atlas, der nun einen nach dem anderen eine Reihe von Charakteren vorstellte. Zum Beispiel den jungen David Brooks, seinerzeit Leitartikelschreiber des *Wall Street Journal.* Und natürlich David Brock selbst, damals bestens bekannt für seine unerbittliche Wühlarbeit im Privatleben von Präsident Bill Clinton. Auch meine Freunde David Frum, der als ehemaliger Leitartikelschreiber des *Wall Street Journal* eingeführt wird, und seine Frau Danielle Crittenden, mit der ich Jahre später mein polnisches Kochbuch schreiben sollte.

Es folgen unterhaltsame Schilderungen aus den teuren Restaurants von Georgetown, in denen sich Angehörige der gebildeten konservativen Elite über Angehörige der gebildeten liberalen Elite mokieren, doch der Ton ist nie negativ. Namen und Kurzprofile defilieren vorüber: Bill Kristol, John Podhoretz, Roger Kimball, Dinesh D'Souza. Die meisten davon kannte ich persönlich. Ich arbeitete damals in London beim *Spectator,* und diese Leute waren für mich wie ausländische Cousins, die ich mit einem gewissen Interesse an der Familie gelegentlich besuchte, zu deren innersten Kreis ich aber nie vordrang. Hin und wieder schrieb ich Artikel für Kristols *Weekly Standard,* Kimballs *New Criterion* oder Crittendens *Independent Women's Quarterly.* Außerdem hatte ich flüchtige Bekanntschaft mit einer Dame gemacht, deren Auftritt im Leoparden-Minirock das aufregendste Cover von Crittendens Zeitschrift abgegeben hatte: Laura Ingraham, die ihre juristische Laufbahn als Praktikantin bei Verfassungsrichter Clarence Thomas begonnen hatte und inzwischen in eine Anwaltskanzlei gewechselt war. Im vorletzten Absatz des Artikels beschreibt Atlas, wie er kurz vor Mitternacht »zusammen mit Brock in Ingrahams armygrünem Land Rover mit 100 Sachen auf der Suche nach einer geöffneten Kneipe durch die Washingtoner Innenstadt raste, während Buckwheat Zydeco aus den Boxen dröhnte.«

In ihren Fernsehsendungen und Ansprachen bestätigt Ingraham das, was ich damals mit ihr verband: ihre Verehrung für Ronald Reagan und dessen Politik, die an jenem Abend wohl alle Gäste teilten. Wobei Verehrung für Reagan wohl etwas zu speziell wäre. Was die Gruppe zusammenhielt und was auch mich zu ihr hinzog, war dieser Optimismus der Zeit nach dem Kalten Krieg, das Gefühl, dass wir gewonnen hatten, dass die demokratische Revolution weitergehen würde, dass auf den Sturz der Sowjetunion weitere gute Dinge folgen würden – derselbe Optimismus, den wir damals in Polen und auf meiner Silvesterfeier 1999 verspürten. Das war nicht der nostalgische Konservatismus der Engländer, sondern ein beschwingter, amerikanischer und in keiner Weise rückwärtsgewandter Konservatismus.

Es gab zwar auch dunklere Versionen, doch im besten Falle war dieser Konservatismus dynamisch, reformfreudig und großzügig, er gründete auf einem Vertrauen in die Vereinigten Staaten, in die Größe der amerikanischen Demokratie und auf dem Ehrgeiz, diese Demokratie mit dem Rest der Welt zu teilen.

Doch dieser Moment währte kürzer, als wir es erwartet hatten. Wenn das Ende des Kalten Krieges die britischen Konservativen in Unzufriedenheit stürzte, dann hinterließ es in den Vereinigten Staaten tiefe Gräben und unüberwindliche Differenzen. Vor 1989 wurden die amerikanischen Antikommunisten von der demokratischen Mitte bis zum republikanischen Rand durch die Entschlossenheit geeint, sich der Sowjetunion entgegenzustellen. Doch diese Gruppe war nie ein geschlossener Block. Einige waren Kalte Krieger, weil sie als realpolitische Diplomaten oder Denker die traditionelle russische Aggression hinter der Sowjetpropaganda erkannten, weil sie einen Atomkrieg fürchteten und weil sie sich um den amerikanischen Einfluss in der Welt sorgten. Andere – und dazu zähle ich auch mich selbst – glaubten, dass wir gegen Totalitarismus und Diktatur und für politische Freiheit und Menschenrechte einstanden. Wieder andere bekämpften die Sowjetunion, weil die sowjetische Ideologie ausdrücklich atheistisch war und weil sie glaubten, dass Amerika an Gottes Seite stand. Mit dem Zerfall der Sowjetunion lösten sich auch die Bande auf, die diese unterschiedlichen Antikommunisten zusammenhielten.

Diese tektonischen Verschiebungen brauchten ihre Zeit. Ihre Reichweite war nicht unmittelbar absehbar. Durch die Anschläge des 11. September 2001 hielt diese Gruppe wahrscheinlich länger zusammen, als dies ansonsten der

Fall gewesen wäre. Doch am Ende ist auch Brocks Party eine, deren Gäste heute nicht mehr miteinander sprechen. Nur zwei Jahre später sprang Brock selbst ab und warf in einem Artikel der Rechten »geistige Intoleranz und selbstgefällige Gruppendenke« vor.[114] Brooks zog es Richtung Mitte, er wurde Kolumnist der *New York Times* und schrieb Bücher über eine sinnvolle Lebensführung. Frum wurde Redenschreiber von George W. Bush, doch der fremdenfeindliche und verschwörungssüchtige Rand seiner Partei frustrierte ihn, und nach der Wahl von Donald Trump wandte er sich schließlich ganz von den Republikanern ab. Kristol folgte ihm wenig später. Andere wie D'Souza und Kimball schlugen den genau entgegengesetzten Weg ein.

Meinen eigenen Bruch vollzog ich 2008, nachdem Sarah Palin als eine Art Proto-Trump in der Partei aufgestiegen und bekannt geworden war, dass die Bush-Regierung im Irak gefoltert hatte. In einem Artikel erklärte ich, warum ich nicht für John McCain stimmen konnte, und beschrieb, wie die Partei sich meiner Ansicht nach verändert hatte.[115] (Wenn ich den Artikel heute zur Hand nehme, stelle ich fest, dass er vor allem eine Lobrede auf McCain ist. Doch John McCain, der bei der Vorstellung meines Buchs *Gulag* in Washington noch eine wunderbare Einführung gehalten hatte, hat danach kein Wort mehr mit mir gesprochen.) Doch erst mit der Kür von Donald Trump zum Präsidentschaftskandidaten der Republikaner wurde mir klar, wie sehr sich meine Weltsicht inzwischen von der meiner früheren amerikanischen Freunde unterschied. Die kleine Gruppe der »jungen Konservativen« hatte sich offenbar gespalten.

2017 schrieb Sam Tanenhaus einen Artikel über eine andere Party, der im *Esquire* erschien. Es war die Party, die

die Frums in ihrem Haus in Washington gaben, um die Veröffentlichung meines Buchs *Roter Hunger* zu feiern. Tanenhaus beschrieb die Gäste als »Kader von Entwurzelten und Vertriebenen, Autoren, Intellektuellen und Experten, die, wenn sie sich in Paris oder London oder vielleicht auch in Ottawa getroffen hätten, den verwunschenen Glamour von Emigranten und Exilanten gehabt hätten«.[116] Er spöttelte über die »Never Trumpers« und die »osteuropäischen Motto-Häppchen«, die zur Veröffentlichung eines Buchs über den Hunger gereicht wurden. Damit mochte er nicht ganz unrecht haben, aber er fügte auch eine ernsthaftere Beobachtung an: »Für viele der Gäste … wurde mit Trumps Aufstieg aus dem viel beschworenen ›Es kann auch hier passieren‹ ein schmerzliches und drängendes ›Es passiert hier und jetzt, und wir müssen etwas dagegen unternehmen‹.«

Nicht alle unserer alten Bekannten sahen das so, aber die waren auch nicht eingeladen. Seit den 1990er Jahren hatten sich die Gästelisten meiner Freunde sehr verändert. Zum einen befanden sich jetzt einige gemäßigte Demokraten im Raum, die drei Jahrzehnte früher noch nicht zu den Bekannten der Frums gezählt hatten. Und zum anderen fehlten viele Gesichter. Roger Kimball war beispielsweise nicht dabei. 1992 hatte er noch eine Würdigung von Bendas *La trahison des clercs* geschrieben, die später der Neuübersetzung als Einleitung vorangestellt wurde. In diesem Aufsatz hieß es, Benda habe »in einem Moment geschrieben, als Europa von völkischem und nationalistischem Hass zerrissen wurde«.[117] Anerkennend merkte er an, Benda habe Parteilichkeit abgelehnt und sich »dem Ideal der Neutralität und der allgemeingültigen Wahrheit« verpflichtet gefühlt. In einem Moment, in dem in Jugoslawien und der ehemaligen Sowjetunion »völkischer und nationalistischer

Hass« hochschlug, schien Kimball das Ideal der intellektuellen Neutralität offenbar besonders lobenswert.

Heute ist Kimball allerdings weder am »Ideal der Neutralität« noch an »allgemeingültiger Wahrheit« interessiert.
Während der Impeachment-Anhörungen des Jahres 2019
veröffentlichte er auf der Pro-Trump-Webseite »American
Greatness« einige Artikel, in denen er sich über die Beweise
mokierte, dass Präsident Trump das Gesetz gebrochen hatte.
Der Kimball des Jahres 1992 hatte geschrieben: »Wenn der
Glaube an die Vernunft und Menschlichkeit verloren geht,
ist die Folge nicht nur eine Zersetzung von Maßstäben,
sondern auch eine Krise der Courage.«[118] Der Kimball des
Jahres 2019 verglich die demokratischen Kongressabgeord-
neten mit dem »rasenden Mob, der vor Pontius Pilatus die
Partei von Barabbas ergriff« – womit er implizit Trump zu
Jesus machte.[119] Mit keinem Wort erwähnte er die Feig-
heit der republikanischen Senatoren, die mit Ausnahme
von Mitt Romney nicht einsehen wollten, dass der Präsident die Instrumente der amerikanischen Außenpolitik für
seine persönlichen Zwecke missbraucht hatte. Die »Krise
der Courage« war mit Händen zu greifen, sie saß direkt vor
ihm. Aber Kimball sah sie nicht mehr.

Auch Ingraham stand nicht auf der Gästeliste, obwohl
sie früher gern dabei gewesen wäre und ich mich früher
auch gefreut hätte, mit ihr auf die Veröffentlichung eines
Buchs über Sowjetverbrechen anzustoßen. Doch seit den
1990er Jahren sind wir sehr unterschiedliche Wege gegan-
gen. Sie hat dem Recht den Rücken gekehrt, ist in die Welt
der konservativen Medien abgedriftet und hat sich lange
um eine eigene Fernsehsendung bemüht. Diese anfängli-
chen Versuche scheiterten zwar, doch sie moderierte eine
beliebte Radiosendung. Ich war einige Male zu Gast, ein-

mal nach dem russischen Einmarsch in Georgien im Jahr 2008.[120] Wenn ich mir heute im Internet diese Sendung anhöre, dann staune ich, wie sehr hier noch der optimistische Konservatismus der 1990er nachklingt. Damals sah Ingraham die Amerikaner noch als Kraft zum Guten, die den Russen ihre Grenzen aufzeigte. Doch sie war bereits auf der Suche nach etwas anderem. An einer Stelle unseres Gesprächs zitiert sie Pat Buchanan, einen ihrer Mentoren, der wiederholt gegen die Sinnlosigkeit einer Beziehung der Vereinigten Staaten zur jungen Demokratie Georgiens anwetterte und Russland lobte, weil er das Land für christlicher hielt als sein eigenes.

Dieses Zitat war eine erste Andeutung kommender Veränderungen. Irgendwann verschwand ihr Reagan'scher Optimismus und wich dem apokalyptischen Pessimismus, wie ihn so viele andere inzwischen vertraten. Dieser findet sich heute in vielen ihrer Texte und Aussagen: Amerika ist dem Untergang geweiht, Europa ist dem Untergang geweiht, die westliche Zivilisation ist dem Untergang geweiht. Schuld sind die Zuwanderung, die politische Korrektheit, die LGBTQ-Bewegung, die Kultur, das Establishment, die Linken, die Demokraten. Vieles von dem, was sie beschreibt, ist real: Die sogenannte »Cancel Culture« des Internets, der gelegentlich aufflammende Extremismus an Universitäten und die überzogenen Behauptungen der Vertreter der Identitätspolitik sind eine politische und kulturelle Herausforderung, und es ist echte Courage gefragt, um sich dem entgegenzustellen. Doch offenbar ist sie nicht mehr sicher, dass man diesen linken Auswüchsen mit den herkömmlichen Mitteln der Demokratie begegnen kann. 2019 hatte sie Buchanan selbst in ihrer Sendung und fragte ihn direkt: »Ist die westliche Zivilisation, wie wir sie kennen, in Gefahr? Ich denke, man könnte gut behaupten, dass sie am Rand des Abgrunds steht.«[121] Wie Buchanan zweifelt sie, ob die Vereinigten Staaten weiterhin eine internationale Rolle spielen sollen oder können. Und kein Wunder: Wenn die Vereinigten Staaten keine Sonderstellung einnehmen, sondern degeneriert sind, wie sollten sie dann in der Welt irgendetwas bewegen können?

Diese Untergangsstimmung prägt auch ihre Ansichten zur Zuwanderung. Wie so viele Journalisten im Fox-Imperium stellt Ingraham die illegalen Einwanderer seit Jahren als Diebe und Mörder dar, obwohl es eindeutige Beweise gibt, dass Zuwanderer weniger Verbrechen begehen als gebürtige Amerikaner. Das geht weit über die Forderung nach sinnvollen Grenzkontrollen hinaus. Sie fordert Präsident Trump auf, nicht nur die illegale Einwanderung zu beenden, sondern auch die legale, und verweist immer wieder auf die »massiven demografischen Veränderungen« in den Vereinigten Staaten, »für die keiner von uns gestimmt hat und die die meisten von uns ablehnen«. Einige Teile des Landes »sehen nicht mehr aus wie das Amerika, das wir kennen und lieben und das es nicht mehr gibt«.[122] Sie spricht Präsident Trump direkt an, wenn sie sagt:

Das ist ein nationaler Notstand, und er muss einfordern, dass der Kongress jetzt handelt. In diesem Land geht etwas verloren, und das hat nichts mit Rasse oder Ethnie zu tun. Es ist das frühere gemeinsame Verständnis beider Parteien, dass die amerikanische Staatsbürgerschaft ein Privileg ist, die ein Mindestmaß an Gesetzes- und Verfassungstreue voraussetzt.

Und wenn das wahre Amerika verloren geht, dann sind extreme Maßnahmen nötig, um es zu retten. 2019 nickte Ingraham zustimmend, als einer ihrer Gäste, der konservative Anwalt Joseph diGenova, vom heraufziehenden Kulturkampf in den Vereinigten Staaten sprach: »Die Vorstellung ist passé, dass es in diesem Land in absehbarer Zeit eine zivile Debatte geben wird ... Es wird ein totaler Krieg«, sagte er.[123] »Ich mache zweierlei: Ich gehe zur Wahl, und ich kaufe Schusswaffen.« Als Rafael Bardají sagte: »Wir wollen nicht getötet werden, wir müssen überleben«, da sprach er bildhaft.[124] Ingraham bietet dagegen Menschen eine Plattform, die glauben, dass aus Politik bald ein richtiger Krieg entstehen könnte, in dem echtes Blut vergossen wird.

Dieser finstere Pessimismus, welcher die Ängste der radikalsten linken und rechten Bewegungen der amerikanischen Geschichte wiedergibt, erklärt, wie Ingraham früher als viele andere zu einer überzeugten Unterstützerin von Donald Trump werden konnte. Sie kennt Trump schon seit den 1990ern. Einmal trafen sie sich sogar zu einem Rendezvous, doch das endete nicht gut, denn sie fand ihn aufgeblasen (»Er braucht zwei Autos, eins für sich und eins für seine Haare«, sagte sie gemeinsamen Freunden). Das hinderte sie nicht daran, seinen Einstieg in die Politik zu unterstützen und in ihrer Sendung falsche Behauptungen über Barack Obamas Herkunft zu verbreiten. Auf dem Parteitag der Republikaner sprach sie sich für ihn aus, lange bevor der Rest der Partei mitzog. Seit Beginn seiner Amtszeit genießt sie einen besonderen Zugang zu ihm und gehört zu den Fox-Journalisten, die regelmäßig mit ihm sprechen.

Ihr Glaube an Trump oder zumindest an seine Sache prägt auch Ingrahams Berichterstattung über die Corona-

Pandemie. Wie ihre Kollegen bei Fox News spielte sie das Thema zunächst herunter, warf den Demokraten einen Hype um das Virus vor und bezeichnete es als »neue Linie im Kampf gegen Trump«.[125] Später beteiligte sie sich an der Verbreitung von Falschinformationen, ignorierte Experten und warb für das nicht erprobte Medikament Hydroxychloroquin; sie erwähnte es sogar schon drei Tage bevor Trump es erstmals empfahl.[126] Im April schloss sie sich Trumps wirrer Kampagne gegen die Lockdown-Politik seiner eigenen Regierung an und forderte »Rebellen« auf, sich gegen die Quarantäne zu erheben. In einer ihrer Publikationen auf Twitter verriet sie ihre eigentliche Motivation: »Wie viele von denen, die von unserer Regierung verlangt haben, die Befreiung von Irakern, Syrern, Kurden, Afghanen etc. zu unterstützen, bekennen sich heute zur Befreiung von Virginia, Minnesota, Kalifornien etc.?«[127] Die Verwendung des Wortes »Befreiung« und der implizite Vergleich von gewählten Gouverneuren, die ihre Bürger vor einem Virus schützen wollen, mit einem Massenmörder wie Saddam Hussein – das alles spricht dafür, dass sie ihren Glauben an die amerikanische Demokratie verloren hat.

Einige Elemente von Ingrahams Weltbild wollen nicht recht zusammenpassen. Dazu gehört ihre ständige Anrufung moralischer, christlicher und persönlicher Werte. Während eines Vortrags, den sie 2007 in Dallas hielt, erklärte sie: »Ohne Tugend gibt es kein Amerika. Ohne Tugend werden wir von Tyrannen beherrscht.«[128] Dann stellte sie eine Liste dieser Tugenden auf: »Ehre, Mut, Selbstlosigkeit, Opfer, Fleiß, Selbstverantwortung, Respekt für die Alten und Schwachen.« Keine dieser Tugenden lässt sich Donald Trump zuschreiben. Noch komplizierter wird es, wenn sie sich an Trumps Hasskampagnen gegen Einwanderer beteiligt und wenn sie Ängste hegt, die legale Zuwanderung zerstöre »das Amerika, das wir kennen und lieben«. Ingraham selbst hat nämlich drei Adoptivkinder, von denen keines in den Vereinigten Staaten zur Welt gekommen ist.

Ich weiß nicht, wie Ingraham selbst sich diese Widersprüche erklärt, denn sie wollte nicht mit mir sprechen. Wie meine Freundin Ania Bielecka beantwortete sie eine meiner E-Mails und verfiel dann in Schweigen. Aber es gibt ein paar Hinweise. Gemeinsame Freunde berichten, dass sie zum Katholizismus übergetreten und seit einem überstandenen Brustkrebs tief religiös geworden sei. Einer Bekannten sagte sie: »Der einzige Mann, der mich nie enttäuscht hat, ist Jesus.« Man sollte nicht unterschätzen, welche Willenskraft nötig ist, um im Haifischbecken der rechtsgerichteten Medien zu überleben, vor allem bei Fox News, wo weibliche Stars oft zum Sex mit ihren Bossen gedrängt werden. Die persönlichen Erfahrungen verleihen ihren Aussagen oft einen messianischen Tonfall. In dem erwähnten Vortrag aus dem Jahr 2007 sprach sie von ihrer religiösen Bekehrung. Ohne den Glauben »wäre ich nicht hier ... Ich wäre wahrscheinlich nicht einmal mehr am Leben.« Das sei auch der Grund, warum sie Amerika von den Gottlosen erretten wolle: »Wenn wir als Land den Glauben an Gott verlieren, dann verlieren wir unser Land.«

Beruflicher Ehrgeiz, der älteste Rechtfertigungsgrund der Welt, spielt natürlich auch eine Rolle. Unter anderem hat Ingraham es ihrer Beziehung zu Trump zu verdanken, dass sie schließlich doch noch ihre eigene Primetime-Sendung bei Fox mit dem entsprechenden Gehalt bekam. In Schlüsselmomenten hat sie Interviews mit ihm geführt, in denen sie nichts als schmeichelhafte Fragen stellt. »Glückwunsch zu Ihren Umfragewerten«, sagte sie ihm anlässlich der Feiern zum Jahrestag der Landung der Alliierten in der Normandie.[129] Doch für einen Menschen mit der Intelligenz von Laura Ingraham reicht diese Erklärung nicht aus. In den langen Jahren, in denen Fox ihr keine eigene Fernsehsendung geben wollte, hatte sie ihre eigene Radiosendung, und ich bin mir sicher, dass sie diese wieder aufnimmt, sollte Fox jemals ihre Sendung aus dem Programm nehmen. Wie in so vielen Biografien ist es unmöglich, das Persönliche und das Politische auseinanderdividieren zu wollen.

Andere Gelegenheiten geben mehr Aufschluss über ihr Denken. Es könnte durchaus sein, dass die persönlichen Widersprüche – etwa einen homosexuellen Sohn zu haben und eine homophobe Partei zu unterstützen, wie meine polnische Freundin, oder Zuwanderer zu verunglimpfen und zugewanderte Kinder zu adoptieren – den Extremismus oder zumindest den extremistischen Sprachgebrauch noch befördern. Der polnische Autor Jacek Trznadel beschreibt, wie es sich im stalinistischen Polen anfühlte, auf der einen Seite lautstark für das Regime einzutreten und auf der anderen Zweifel zu haben. »Auf einer Versammlung der Universität von Wrocław habe ich auf der Bühne gestanden und in die Menge geschrien, und gleichzeitig habe ich Panik verspürt bei der Vorstellung, dass ich da schreie … Ich habe mir eingeredet, dass ich die Menge überzeuge, aber in Wirklichkeit habe ich versucht, mich selbst zu überzeugen.«[130] Bei einigen Leuten hat die lautstarke Unterstützung für Trump offenbar den Zweck, die tiefen Zweifel und die Scham zu übertönen, die sie ob ihres Eintretens für Trump empfinden. Laue Unterstützung reicht nicht aus bei einem Präsidenten, der das Weiße Haus korrumpiert und die Bündnisse der Vereinigten Staaten zerstört. Man muss schon laut schreien, um sich selbst und andere zu überzeugen. Man muss die eigenen Gefühle übertreiben, um sie glaubwürdig zu machen.

Doch die Erklärung könnte auch einfach Ingrahams abgrundtiefe Verzweiflung sein. Die Vereinigten Staaten von heute sind ein finsteres, albtraumhaftes Land, in dem Gott nur noch zu sehr wenigen Menschen spricht, in dem der Idealismus tot ist, in dem Blutvergießen und Bürgerkrieg näher rücken, in dem demokratisch gewählte Präsidenten nicht besser sind als ausländische Diktatoren und Massenmörder und in dem die »Elite« Dekadenz, Chaos und Untergang frönt. Die Vereinigten Staaten von heute, so wie sie und viele andere sie sehen, sind ein Land, in dem Studenten an der Universität lernen, ihr Land zu hassen, in dem Opfer mehr gefeiert werden als Helden und in dem alte Werte auf dem Müll landen. Kein Preis ist zu hoch, kein Verbrechen zu schlimm und kein Skandal zu schändlich, wenn man nur das wahre Amerika, das alte Amerika wiederherstellen kann.

Kapitel 6: **Kein Ende der Geschichte**

Politische Umwälzungen wie die heutigen, die Familien und Freundschaften zerreißen, gesellschaftliche Klassen spalten und Bündnisse sprengen, hat es schon immer gegeben. Ein besonders lehrreiches Beispiel ist eine Affäre im Frankreich des ausgehenden 19. Jahrhunderts, die viele Debatten des 20. Jahrhunderts vorwegnahm und noch den Debatten des 21. Jahrhunderts den Spiegel vorhält.

Die Dreyfus-Affäre begann 1894 mit der Erkenntnis, dass es in den Reihen der französischen Armee einen Verräter geben musste: Irgendjemand gab Informationen an die Deutschen weiter, die gut zwei Jahrzehnte zuvor Frankreich besiegt und die Departements Elsass und Lothringen besetzt hielten. Der französische Militärgeheimdienst ermittelte und behauptete bald, den Schuldigen gefunden zu haben. Hauptmann Alfred Dreyfus war Elsässer, er sprach Französisch mit deutschem Akzent, und er war Jude, weshalb er in den Augen vieler Landsleute kein echter Franzose sein konnte. Außerdem war er unschuldig, wie sich später herausstellen sollte. Der Spion war in Wirklichkeit ein Offizier namens Ferdinand Walsin-Esterházy, der einige Jahre später unehrenhaft aus der Armee ausscheiden und außer Landes fliehen sollte.

Doch die Ermittler fälschten Beweise und Aussagen.

Dreyfus wurde vor ein Kriegsgericht gestellt, schuldig gesprochen und öffentlich gedemütigt. Vor einer johlenden Menschenmenge auf dem Marsfeld riss ihm ein Adjutant die Offiziersklappen von der Uniform und zerbrach seinen Degen. Dreyfus schrie: »Sie degradieren einen Unschuldigen! Es lebe Frankreich! Es lebe die Armee!«[131] Danach wurde er auf die Teufelsinsel vor der Küste von Französisch-Guayana verbannt.

Die folgende Kontroverse, die Romain Rolland als »Schlacht zwischen zwei Welten«[132] bezeichnete, spaltete die französische Gesellschaft auf eine Weise, die uns plötzlich sehr vertraut vorkommt. Diejenigen, die von Dreyfus' Schuld überzeugt waren, das waren die Alt-Right – oder auch die PiS, der Rassemblement National oder gar die Anhänger des QAnon-Kults – ihrer Tage. Mit den schrillen Überschriften der französischen Boulevardpresse, Vorläufern ultrarechter Trolle, verbreiteten sie wider besseres Wissen ihre Verschwörungstheorie. Sie verwendeten klassische antisemitische Karikaturen, zum Beispiel den Kopf von Dreyfus, aus dem Schlangen kamen, und karikierten ihn als Tier mit gebrochenem Rückgrat – rassistische Memes aus einer Zeit, die diesen Begriff noch nicht kannte. Die Rädelsführer logen, um die Ehre der Armee zu wahren. Ihre Anhänger klammerten sich an ihre Überzeugung von Dreyfus' Schuld – und ihre absolute Loyalität zu ihrer Nation –, selbst als die Lüge offenbar wurde.

Um diese Loyalität zu wahren, musste eine ganze Clique von *clercs* die Wahrheit opfern. Dreyfus war kein Spion. Um seine Schuld zu beweisen, mussten die Dreyfus-Gegner Beweise, Recht, Gesetz, gar die Vernunft in den Wind schlagen. Wie der Rembrandt-Verehrer Langbehn griffen sie irgendwann auch die Wissenschaft an, weil sie modern und allgemeingültig war und im Widerspruch zu dem emotionalen Kult von Ahnen und Vaterland stand. Ein Dreyfus-Gegner fand »in jedem wissenschaftlichen Werk« etwas »Prekäres« und »Ungewisses«.[133] Sie zogen die Integrität, Persönlichkeit und Rechtmäßigkeit aller in Zweifel, die Dreyfus in Schutz nahmen, und diffamierten sie als »Idioten«, »Fremde« und Menschen, die es nicht verdient hatten, Bürger Frankreichs zu sein.

Die Dreyfus-Gegner stilisierten sich als »echte Franzosen« – die wahre Elite, im Gegensatz zur »fremden« und treulosen Elite. Einer ihrer Anführer, ein gewisser Édouard Drumont, gründete eine Zeitung namens *La Libre Parole* – »Das freie Wort« –, die mit ihrer antikapitalistischen und antisemitischen Hetze einige der autoritären Machthaber des Faschismus und Nationalsozialismus im 20. Jahrhundert und auch der heutigen Zeit vorwegnahm. So warf er den Juden zum Beispiel vor, die Vernichtung der französischen Armee, der französischen Machtstellung und Frankreichs selbst zu planen.

Die Dreyfus-Anhänger hielten dagegen, dass es Prinzipien gebe, die über der Loyalität zu nationalen Institutionen stünden, und dass es sehr wohl darauf ankomme, ob Dreyfus schuldig war oder nicht. Vor allem habe der französische Staat die Pflicht, alle Bürger gleich zu behandeln, unabhängig von ihrer Religion. Auch sie waren Patrioten, wenngleich von einem anderen Schlag. Sie verstanden die Nation nicht als Volksstamm, sondern als Verkörperung bestimmter Ideale: Gerechtigkeit, Aufrichtigkeit, Objektivität und Unabhängigkeit der Gerichte. Sie vertraten einen abstrakteren und schwerer zu fassenden Patriotismus, der jedoch seinen eigenen Reiz hat. In seinem berühmten offenen Brief an den französischen Präsidenten mit dem

Titel »J'accuse« betonte Émile Zola 1898, dass er keinen persönlichen Groll gegen die Menschen hegte, die falsche Anklage gegen Dreyfus erhoben hatten. Er schrieb: »Sie sind für mich nur Erscheinungen, Symptome der Krankheit der Gesellschaft. Und die Handlung, die ich hier vollziehe, ist nur ein revolutionäres Mittel, um den Ausbruch der Wahrheit und Gerechtigkeit zu beschleunigen.«[134]

Diese beiden Versionen der Nation, diese Uneinigkeit darüber, »wer wir sind«, spaltete ganz Frankreich, oder vielleicht zeigte sich auch nur ein Riss, der sich schon lange unter den selbstzufriedenen Prätentionen einer sich rasch industrialisierenden und modernisierenden Gesellschaft aufgetan hatte. Die Stimmung kochte hoch. Bündnisse änderten sich und mit ihnen Gästelisten. In den späteren Bänden seines großen Romanzyklus *Auf der Suche nach der verlorenen Zeit* beschreibt Marcel Proust, wie die Dreyfus-Affäre Freundschaften zerstörte und die Gesellschaft durcheinanderwirbelte. Eine Dame der Gesellschaft wird zu einer Dreyfus-Gegnerin, um sich Zugang zu aristokratischen Salons zu verschaffen, und diese wiederum befinden ihre Haltung für »doppelt ehrenhaft«, weil ihr Mann Jude ist.[135] Um die Gunst einer Dreyfus-Anhängerin zu gewinnen, erklärt eine andere, »dass alle Menschen ihrer Welt Idioten waren«. Eine bekannte Karikatur des Satirikers Caran d'Ache zeigt eine französische Familie beim Mittagessen. Im ersten Bild sitzen alle friedlich am Tisch. Im zweiten liegen sie sich in den Haaren, bewerfen sich mit Essen und zerschlagen das Mobiliar. Darunter steht: »Das Gespräch war auf das Thema gekommen« – also auf die Dreyfus-Affäre. Léon Blum, der erste jüdische Ministerpräsident Frankreichs, erinnerte sich daran, dass der Konflikt »nicht weniger heftig war als die Französische Revolution oder der Erste Weltkrieg«.[136]

Am Ende behielten die Verteidiger von Dreyfus die Oberhand. Dreyfus kam 1899 zurück nach Frankreich, und 1906 wurde er förmlich begnadigt. Im selben Jahr wurde Georges Clemenceau, Verleger von Zolas »J'accuse«, Ministerpräsident von Frankreich. Gegen Ende von Prousts Romanwerk kehrt der Erzähler nach langer Krankheit aus der Provinz zurück nach Paris und stellt fest, dass niemand mehr über Dreyfus spricht – »der Name war vergessen« – und sich die Bündnisse ein weiteres Mal neu gruppiert hatten.

Doch der Sieg war nicht von Dauer. Zu Beginn des 20. Jahrhunderts kam eine neue Anti-Dreyfus-Bewegung auf. Studenten in Paris lehnten den Ausgang der Dreyfus-Affäre ab. In Reaktion darauf legten sie sich »eine demonstrativ konservative Sichtweise« zu, wie der Historiker Tom Conner es nennt, »basierend auf traditionellen Werten wie Familie, Kirche und Nation«.[137] Im Jahr 1908 – dem Jahr, in dem Emma Goldman dem amerikanischen Patriotismus seine Berechtigung absprach – begann die vom prominenten Dreyfus-Gegner Charles Maurras gegründete protofaschistische Action française eine Hasskampagne gegen einen Historiker namens Amédée Thalamas. Maurras, einer der bei Benda aufgeführten *clercs*, war erbost, dass Thalamas es gewagt hatte zu behaupten, die religiösen Visionen der Johanna von Orléans könnten keine Zeichen Gottes gewesen sein, sondern lediglich Halluzinationen. Eine Bande von Störern attackierte Thalamas während einer Vorlesung an der Sorbonne und zwang ihn, sich zu verstecken. Maurras sollte sich später mit dem Vichy-Regime zusammentun, das nach 1940 mit Hitler kollaborierte, natürlich unter dem Kampfruf *France d'abord* – Frankreich zuerst.

Das politische Rad drehte sich weiter. Hitler verlor den

Krieg, das Vichy-Regime wurde gestürzt. Maurras wurde vor Gericht gestellt und wegen Landesverrats verurteilt. Als er das Urteil vernahm, rief er, mehr als ein halbes Jahrhundert nach der berüchtigten Szene auf dem Marsfeld: »*C'est la revanche de Dreyfus! –* Das ist die Rache von Dreyfus!«

Seit dem Krieg hat sich eine andere Vision von Frankreich durchgesetzt, die auf Vernunft, Rechtsstaatlichkeit und europäischer Integration basiert. Doch der Geist der *clercs,* die einst Dreyfus verleumdeten, sich Vichy anschlossen und im Zeichen von *France d'abord* kämpften, lebt weiter. Emmanuel Macrons Vorstellung eines republikanischen Frankreich, das für abstrakte Werte wie eine unabhängige Justiz und Rechtsstaatlichkeit eintritt, stehen Marine Le Pens »Frankreich den Franzosen« mit seinen alten nationalen Symbolen und Helden, vor allem Jeanne d'Arc, und Marion Maréchals sozialer Konservatismus gegenüber. Die Auseinandersetzung kann durchaus gewalttätige Formen annehmen. Als die *gilets jaunes* – die Gelbwesten des Anti-Establishments – im Frühjahr 2019 in Paris randalierten, zerschlugen sie auch das Denkmal der Marianne, des weiblichen Symbols der Republik und eine Verkörperung des abstrakten Staats.

Auslöser der Dreyfus-Affäre war ein einziger Fall. Ein einziges Gerichtsverfahren machte die unüberwindlichen Abgründe sichtbar zwischen Menschen, die zuvor nicht einmal wussten, dass sie sich nicht einig waren, oder die sich zumindest nicht bewusst waren, dass das eine Rolle spielen könnte. Vor zwei Jahrzehnten muss es bereits Unterschiede im Selbstverständnis der Polen gegeben haben, die nur darauf warteten, durch Zeit, Zufall und persönlichen Ehrgeiz verschärft zu werden. Vor der Wahl von Donald Trump gab es auch unterschiedliche Definitionen von »Amerika«.

Obwohl sogar ein Bürgerkrieg geführt wurde, der sich gegen eine ethnische Definition der Vereinigten Staaten richtete, überlebte diese lange genug, um 2016 ihre Auferstehung zu feiern. Das Brexit-Referendum und die nachfolgenden chaotischen Debatten zeigten, dass auch ältere Vorstellungen von England und englischer Identität, die so lange in der umfassenderen Definition von »Großbritannien« aufgegangen waren, nichts von ihrer Anziehungskraft eingebüßt hatten. Und die plötzliche Welle der Unterstützung für Vox zeigt, dass der spanische Nationalismus mit Francos Tod nicht etwa verschwunden, sondern nur in eine Art Winterschlaf verfallen war.

All diese Debatten, ob im Frankreich der 1890er oder im Polen der 1990er Jahre, drehen sich im Kern um die Fragen, die auch im Mittelpunkt dieses Buchs stehen: Wie definiert sich eine Nation? Wer definiert sie? Wer sind *wir*? Lange haben wir geglaubt, dass diese Fragen beantwortet seien – aber warum sollten sie das jemals sein?

★

Im August 2019 luden wir zu einer Party ein. Diesmal war es ein Sommerfest, und die Gäste unternahmen keine Schneewanderungen und Schlittenfahrten, sondern sonnten sich auf der Wiese und schwammen im Pool. Statt eines Feuerwerks hatten wir ein Lagerfeuer. Aber nicht nur das Wetter war anders: Durch Polens wirtschaftlichen, politischen und kulturellen Erfolg hatte sich seit Silvester 1999 auch vieles andere geändert. Diesmal übernahm ein befreundeter Großbäcker aus der Gegend das Catering, und das Essen war weitaus vornehmer als der Eintopf, den wir unseren Gästen zwanzig Jahre zuvor aufgetischt hatten. Ein anderer Freund und früherer Abgeordneter aus der Gegend, der zufällig E-Gitarre spielt, brachte einige Musiker mit, sodass wir statt Kassetten sogar Live-Musik hatten. Einige unserer Gäste übernachteten in den neuen Hotels der Nachbarstadt Nakło nad Notecią, von denen sich eines in einer liebevoll restaurierten Brauerei befindet. Wieder hatte ich eine Liste von Gästen, die bei uns übernachteten, doch diesmal war alles viel einfacher, denn Vieles von dem, was 1989 und auch 1999 noch ein unvorstellbarer Luxus war – auch Dinge wie Balsamico-Essig und eine tragbare Stereoanlage –, war inzwischen weithin verfügbar und kam jedes Wochenende auf Tausenden Partys und Hochzeiten in Polen zum Einsatz.

Einige unserer Gäste waren alte Bekannte. Ein Freund, der 1999 aus New York gekommen war, war auch 2019 wieder dabei, diesmal mit Mann und Sohn. Ein polnisches Ehepaar kam ohne seine Kinder, weil die inzwischen groß geworden und selbst verheiratet waren. Unter den Besuchern aus Warschau waren einige, die wie ich aus der früheren »Rechten« geflohen waren, aber auch einige, die ich vor zwanzig Jahren nicht einmal im Traum eingeladen hätte, weil sie zu denen gehörten, die man damals als »Linke« bezeichnete. In den zwei Jahrzehnten, die seither vergangen waren, hatten wir einige Freunde verloren, aber auch einige neue gefunden.

Auch andere Gäste waren da, darunter Nachbarn aus dem Dorf, einige Bürgermeister aus der Gegend und wieder eine kleine Gruppe von Freunden aus dem Ausland, die aus Houston, London und Istanbul eingeflogen waren. Einmal sah ich, wie unser Förster leidenschaftlich mit dem schwedischen Ex-Außenminister Carl Bildt diskutierte, mit dem mein Mann einige Jahre zuvor die Partnerschaft zwischen der Europäischen Union und der Ukraine geschmiedet hatte. Ein andermal sah ich einen bekannten Anwalt und Enkel eines berüchtigten polnischen Nationalisten der 1930er Jahre im Gespräch mit einem in London lebenden Freund aus Ghana. In den letzten Jahrzehnten war die Welt so weit zusammengeschrumpft, dass sich all diese Menschen in einem Garten in einem polnischen Dorf begegnen konnten.

Ich beobachtete, dass die Einteilung der Welt in »Somewheres« und »Anywheres« – in Menschen, die angeblich mit einem Ort verwurzelt sind, und solche, die überall und nirgends zu Hause sind; vermeintliche »Provinzler« im Gegensatz zu vermeintlichen »Kosmopoliten« – übertrieben und haltlos war. Auf unserem Rasen konnte man jedenfalls nicht erkennen, wer zu welcher dieser Gruppen gehören sollte. Menschen, die in einem abgelegenen Winkel Polens lebten, unterhielten sich prächtig mit Menschen, die anderswoher kamen. Wie sich herausstellte, können Menschen mit grundverschiedener Herkunft ausgezeichnet miteinander auskommen, denn die »Identität« der meisten Menschen geht weit über diese einfachen Gegensatzpaare hinaus. Es ist möglich, an einem Ort verwurzelt und dennoch weltoffen zu sein. Es ist möglich, gleichzeitig regional und global zu denken.

Ein Teil der Gäste war 1999 noch gar nicht oder gerade erst geboren. Das waren die Schul- und Studienfreunde unserer Söhne, eine bunte Mischung aus Polen, anderen Europäern und Amerikanern aus Warschau, Bydgoszcz, Connecticut und Süd-London. Sie kamen mit dem Zug und schliefen auf dem Boden, einer übernachtete draußen in einer Hängematte. Sie gingen im See schwimmen, standen am nächsten Morgen spät auf und sprangen wieder in den See. Sie unterhielten sich auf Polnisch und Englisch, tanzten zu derselben Musik und kannten dieselben Lieder. Keine tiefen kulturellen Gräben und keine unüberwindlichen identitären Unterschiede schienen sie zu trennen.

Vielleicht sind die Jugendlichen, die sich sowohl als Polen als auch als Europäer fühlen und denen es egal ist, ob sie in der Stadt oder auf dem Land sind, die Vorboten von etwas Neuem, von etwas Besserem, das wir uns noch nicht vorstellen können. Jedenfalls gibt es viele von ihnen, in vielen Ländern. Unlängst lernte ich zum Beispiel die neue slowakische Präsidentin Zuzana Čaputová kennen, eine Umweltanwältin aus der Provinz, die die Wahlen gewann, indem sie wie Vox eine Koalition von Menschen mit ganz unterschiedlichen Interessen schmiedete: Umweltschutz, Korruptionsbekämpfung, Polizeireform. Außerdem hatte ich das Glück, Agon Maliqi kennenzulernen, einen jungen Kosovaren, der durch Kunst, Film und Bildung freiheitliche Vorstellungen und eine demokratische Kultur fördert. »Was der Westen in jahrzehntelangen Auseinandersetzungen erreicht hat, ist als Stück Papier zu uns gekommen«, sagte er zu mir. Ihm geht es darum, diese papierenen Ideen für gewöhnliche Menschen zum Leben zu erwecken. Ich machte einen Podcast mit Flavia Kleiner, einer Schweizer Geschichtsstudentin, die die restaurative Nostalgie ihres Landes satt hatte und beschloss, etwas dagegen zu unternehmen. Sie und ihre Freunde erklärten sich zu »Kindern von 1848«, also Erben der freiheitlichen Revolution der Schweiz, begannen on- und offline für eine andere Form des Patriotismus zu werben und konnten dazu beitragen, einige der nationalistischen Referenden zu Fall zu bringen. Überall in Europa, Nordamerika und dem Rest der Welt gibt es zahllose Menschen – in Städten und auf dem Land,

Kosmopoliten und Provinzler – mit kreativen und interessanten Ideen für das Zusammenleben in einer gerechteren und offeneren Welt.

Sie stehen allerdings vor gewaltigen Hindernissen. Als sich im Frühjahr 2020 das neue Coronavirus in Europa und dem Rest der Welt ausbreitete, wirkte ihr globaler Optimismus mit einem Mal naiv. Am 13. März, ausgerechnet einem Freitag, war mein Mann auf einer Autobahn in Polen unterwegs, als er das Radio einschaltete und hörte, dass die Grenzen des Landes in 24 Stunden geschlossen würden. Sofort fuhr er rechts ran und rief mich an. Wenige Minuten später buchte ich einen Flug von London nach Warschau. Am nächsten Morgen herrschte gespenstische Leere auf dem Flughafen Heathrow, nur am Gate zum Flug nach Warschau war Gedränge, weil viele Menschen mit einem der letzten Flüge in ihre Heimat kommen wollten. Reisende ohne polnischen Pass (ich habe einen) oder dauerhafte Aufenthaltserlaubnis durften das Flugzeug gar nicht mehr besteigen. Dann wurde jemandem klar, dass die Regelung erst ab Mitternacht galt, und ich hörte, wie ein Steward zu zwei nicht polnischen Fluggästen sagte: »Es ist Ihnen doch klar, dass Sie vielleicht nicht wieder ausreisen können und vielleicht für lange Zeit in Warschau bleiben werden …«

Noch am selben Tag riefen wir unseren Sohn an, der gerade in den Vereinigten Staaten sein Studium begonnen hatte, und sagten ihm, er solle augenblicklich zum Flughafen fahren. Eigentlich hatte er vorgehabt, nach der Schließung der Universität bei Freunden unterzukommen. Nun blieb ihm eine halbe Stunde, um eine der letzten Maschinen nach London zu nehmen, von wo aus er weiter nach Berlin fliegen sollte. Als er am Sonntag landete, hatte Polen seine

Grenze bereits für sämtliche öffentlichen Verkehrsmittel geschlossen. Mit dem Zug fuhr er von Berlin nach Frankfurt an der Oder, um von dort samt Gepäck die Grenze zu Fuß zu überqueren wie in einem Film über einen Agentenaustausch im Kalten Krieg. Überall sah er Straßensperren, bewaffnete Soldaten, Männer mit Schutzanzügen, die Fieber maßen, und Drohnen in der Luft, und ihm wurde klar, dass er in Kontinentaleuropa noch nie eine Grenze gesehen hatte. Auf der anderen Seite nahm ihn mein Mann in Empfang. Unser zweiter Sohn blieb auf der anderen Seite des Atlantiks und saß wochenlang fest.

Mit ihrer offenbar ungeplanten Grenzschließung richtete die polnische Regierung gewaltiges Chaos an. Überall waren polnische Bürger gestrandet, und die Regierung war gezwungen, Flugzeuge zu chartern, um sie nach Hause zu holen. Tausende Ukrainer, Weißrussen und Balten – darunter Lkw-Fahrer und Touristen, die einfach nur nach Hause wollten – steckten tagelang an der deutsch-polnischen Grenze fest und mussten ihre Notdurft in nahe gelegenen Feldern verrichten, weil die Grenzbeamten nur noch Polen ins Land ließen. Das Deutsche Rote Kreuz verteilte Essen und Decken. Keine dieser drastischen Maßnahmen konnte das Virus allerdings aufhalten. Die Epidemie war auf dem Vormarsch und breitete sich auch nach der Schließung der Grenzen weiter aus. Polnische Krankenhäuser waren rasch überfordert, auch weil die PiS-Regierung mit ihrer nationalistischen Rhetorik viele Ärzte ins Ausland vertrieben hatte. Doch trotz des Chaos – oder vielleicht genau deshalb – kam die Grenzschließung sehr gut bei der Bevölkerung an. Der Staat unternahm etwas. Das könnte ein Vorgeschmack auf das sein, was uns erwartet.

In der Vergangenheit mussten Pandemien immer wieder

als Vorwand herhalten, um die Macht des Staates auszuweiten: Wenn Menschen den Tod fürchten, halten sie sich an Maßnahmen, von denen sie sich Schutz versprechen, ob zu Recht oder nicht – selbst wenn das einen Verlust von Freiheiten bedeutet. In Großbritannien, Italien, Deutschland, Frankreich, den Vereinigten Staaten und vielen anderen Ländern herrschte weitgehend Konsens, dass die Menschen besser zu Hause blieben, dass Quarantänen durchgesetzt wurden und dass die Polizei hierbei eine besondere Rolle übernehmen sollte. Doch mancherorts wurde die Angst vor der Krankheit und anderen Aspekten der Moderne zur Inspiration für eine neue Generation autoritärer Nationalisten. Nigel Farage, Laura Ingraham, Mária Schmidt, Jacek Kurski und die Trolle der spanischen Vox und der amerikanischen Alt-Right-Bewegung hatten bereits den geistigen Boden für die Veränderungen bereitet, die sich nun zeigten. Ende März erließ Viktor Orbán ein Gesetz, das es ihm erlaubte, am Parlament vorbeizuregieren und Journalisten fünf Jahre lang einzusperren, wenn sie den staatlichen Kampf gegen das Virus kritisierten. Es gab keinen Anlass für diese Maßnahmen, und sie halfen den ungarischen Krankenhäusern nicht, die wie die polnischen durch fehlende Investitionen und Ärzteflucht hoffnungslos überfordert waren. Die Maßnahmen dienten lediglich dazu, die Debatte zu ersticken. Oppositionspolitiker, die widersprachen, wurden von den staatlichen Medien als »pro Virus« verunglimpft.

Es könnte eine Wende markieren. Vielleicht repräsentieren meine Kinder und ihre Freunde – all unsere Freunde und wir alle, die wir in einer Welt leben wollen, in der wir selbstbewusst unsere Meinung sagen können, in der rationale Debatte möglich ist, in der Wissen und Erfahrung respektiert werden und in der wir ohne Schwierigkeiten

Grenzen überqueren können – eine der vielen Sackgassen der Geschichte. Vielleicht sind wir wie die schillernde Vielvölkerstadt Wien der k.u.k.-Monarchie oder wie das kreative und dekadente Berlin der Weimarer Zeit dazu verdammt, in die Bedeutungslosigkeit gefegt zu werden. Es ist gut denkbar, dass wir bereits in der Dämmerung der Demokratie leben, dass unsere Kultur bereits in Richtung Anarchie und Tyrannei unterwegs ist, wovor die antiken Philosophen und die Gründerväter der Vereinigten Staaten warnten; dass eine neue Generation von *clercs,* der geistigen Vorkämpfer nicht freiheitlichen oder autoritären Gedankenguts, im 21. Jahrhundert an die Macht kommt, so wie schon im 20. Jahrhundert; dass ihre aus Ressentiment, Wut oder messianischen Fantasien geborene Weltsicht triumphiert. Vielleicht wird die neue Informationstechnologie weiter dazu beitragen, Konsens auszuhöhlen, Menschen zu trennen und die Polarisierung so weit zu treiben, bis nur noch die Gewalt darüber entscheidet, wer regiert. Vielleicht gebiert die Furcht vor der Krankheit eine Furcht vor der Freiheit.

Vielleicht schafft das Coronavirus aber auch ein neues Gefühl der weltumspannenden Solidarität. Vielleicht werden wir unsere Institutionen erneuern und modernisieren. Vielleicht werden wir die internationale Zusammenarbeit intensivieren, wenn die ganze Welt gleichzeitig dieselbe Erfahrung macht: Lockdown, Quarantäne, Furcht vor Ansteckung, Furcht vor dem Tod. Viele Wissenschaftler in aller Welt finden neue Formen der Zusammenarbeit jenseits der Politik. Vielleicht wird uns die Realität von Krankheit und Tod lehren, Phrasendreschern, Lügnern und Händlern in Desinformation zu misstrauen.

So ärgerlich es ist, wir müssen damit leben, dass beides

möglich ist. Kein politischer Sieg ist für die Ewigkeit, keine Definition der Nation ist von Dauer, und keine Elite, sei es eine aus Populisten, aus Liberalen oder aus Aristokraten, herrscht für immer. Die Geschichte des alten Ägypten wirkt aus der Ferne wie eine unerschütterliche Abfolge von Pharaonen. Doch bei genauerem Hinsehen erkennen wir Zeiten des kulturellen Lichts und der despotischen Finsternis. Auch unsere Geschichte wird sich eines Tages so präsentieren.

Ich habe dieses Buch mit Julien Benda begonnen, einem Franzosen, der in den 1920er Jahren die kommenden Turbulenzen vorhersah. Schließen möchte ich mit einem Italiener, der in den 1950er Jahren ein Leben der Turbulenzen hinter sich hatte. Der Romanschriftsteller Ignazio Silone war in meinem Alter, als er den Aufsatz »La scelta dei compagni« – Die Wahl der Weggefährten – schrieb, in dem er unter anderem erklärte, warum er sich trotz aller Enttäuschungen und Niederlagen noch immer in der Politik engagierte. Silone hatte sich der Kommunistischen Partei angeschlossen und sie wieder verlassen; einige glauben, dass er mit dem Faschismus kollaborierte, ehe er sich auch von diesem abwandte. Er hatte Kriege und Revolutionen erlebt, hatte sich Täuschungen hingegeben und wurde desillusioniert, hatte als Antikommunist und als Antifaschist geschrieben. Er hatte die Auswüchse zweier Formen des politischen Extremismus gesehen. Trotzdem glaubte er, dass es sich lohne weiterzukämpfen. Nicht, um das Paradies auf Erden zu erschaffen, nicht, um die perfekte Gesellschaft zu errichten, sondern weil die Apathie den Geist tötet und die Seele auffrisst.

Wie wir lebte er in einer Zeit, in der Extremisten von beiden Seiten gleichzeitig auf die Menschen einbrüllten. Viele seiner Landsleute kamen daher zu dem Schluss, dass alle Politiker Gauner und alle Journalisten Lügner seien und dass man niemand etwas glauben dürfe. Im Italien der Nachkriegszeit gab es sogar einen Namen für diese Skepsis und Antipolitik: den *qualunquismo,* den Egalismus. Silone kannte die Folgen: »Politische Regime kommen und gehen, aber schlechte Angewohnheiten bleiben bestehen«, schrieb er.[138] Und die schlechteste Angewohnheit sei der Nihilismus, »eine Krankheit des Geistes, die nur von denen diagnostiziert werden kann, die gegen sie immun oder von ihr geheilt sind, die aber von den meisten Menschen gar nicht erkannt wird, weil sie meinen, es handele sich um eine ganz natürliche Daseinsform: ›So war es schon immer, und so wird es auch immer sein‹«.

Silone bietet kein Wundermittel gegen diesen Nihilismus, denn es gibt keines. Es gibt keine endgültigen Lösungen und keine Theorien, die alles erklären. Es gibt keinen Fahrplan für eine bessere Gesellschaft, kein Lehrstück, kein Regelwerk. Wir können nichts anderes tun, als unsere Verbündeten und unsere Freunde – unsere Kameraden, wie er sich ausdrückt – mit großem Bedacht zu wählen, denn nur gemeinsam mit ihnen ist es möglich, den Versuchungen der verschiedenen Formen des Autoritarismus zu widerstehen, die heute wieder im Angebot sind. Da alle Autoritarismen spalten, polarisieren und Menschen in verfeindete Lager treiben, müssen wir im Kampf gegen sie neue Bündnisse eingehen. Gemeinsam können wir alten und missverstandenen Begriffen wie Liberalismus neue Bedeutung verleihen; gemeinsam können wir Lügen und Lügner bekämpfen, und gemeinsam können wir darüber nachdenken, wie Demokratie im digitalen Zeitalter aussehen kann.

Wie Flüchtlinge, die sich auf dunklen Wegen zu einem fernen Ziel durchkämpfen, müssen wir einen Weg durch die Nacht finden, ohne zu wissen, ob wir jemals ankommen werden: »Der klare Mittelmeerhimmel, an dem einst helle Sternbilder leuchteten, ist wolkenverhangen. Doch im düsteren Schimmer des verbleibenden Lichts können wir immerhin sehen, wohin wir beim nächsten Schritt den Fuß setzen.«

Ich bin dankbar, so viel Zeit mit Menschen verbracht zu haben, denen es wichtig ist, was nach unserem nächsten Schritt passiert.

Einigen mag die Ungewissheit unserer Tage Angst machen, doch diese Ungewissheit gab es immer. Der Liberalismus eines John Stuart Mill, eines Thomas Jefferson oder eines Václav Havel hat nie etwas für die Ewigkeit versprochen. Die Gewaltenteilung der demokratischen westlichen Verfassungen hat nie eine dauerhafte Stabilität garantiert. Freiheitliche Demokratien haben ihren Bürgern immer etwas abverlangt: Teilnahme, Diskussion, Einsatz und Auseinandersetzung. Sie haben immer verlangt, Stimmengewirr und Durcheinander auszuhalten, aber auch denen Kontra zu geben, die es anzetteln.

Sie haben immer gewusst, dass wir dabei auch scheitern können – dass Pläne über den Haufen geworfen, Leben aus der Bahn gerissen und Familien zerbrochen werden können. Auch wir haben immer gewusst, oder hätten es wissen sollen, dass die Geschichte wieder in unser Leben eingreifen und es auf den Kopf stellen kann. Wir haben immer gewusst, oder hätten es wissen sollen, dass andere Vorstellungen von unseren Nationen eine Versuchung darstellen könnten. Aber vielleicht werden wir auf dem Weg durch die Finsternis feststellen, dass wir ihnen gemeinsam widerstehen können.

Dank

Christian Caryl, Danielle Crittenden, David Frum, Cullen Murphy, Cristina Odone, Peter Pomerantsev, Alexander Sikorski, Radek Sikorski, Christina Hoff Sommers, Jacob Weisberg und Leon Wieseltier haben Entwürfe des Buchs oder von Kapiteln gelesen, wofür ich ihnen sehr dankbar bin. Jeff Goldberg gab den Artikel für *The Atlantic* in Auftrag, der den Anstoß zu diesem Buch gegeben hat, und Scott Stossel, Denise Wills und die übrigen Redakteure von *The Atlantic* haben mir geholfen, Ordnung in meine Gedanken zu bringen. Fred Hiatt und Jackson Diehl von der *Washington Post* haben mich nach Spanien geschickt, um den spanischen Teil dieses Buchs zu recherchieren; auch viele der anderen Überlegungen in diesem Buch gehen auf Kolumnen zurück, die ich in den vergangenen beiden Jahrzehnten für die *Washington Post* geschrieben habe.

Das ist inzwischen das vierte Buch, das ich mit demselben transatlantischen Lektorat schreibe: Stuart Proffitt in London, Kristine Puopolo in New York und demselben Agenten, dem legendären Georges Borchardt. Alle hatten viel Geduld mit diesem Projekt, das so ganz anders war als die vorigen, und ich danke ihnen für ihr Engagement. Vielen Dank an Maryanne Warrick für ihre Hilfe bei der Einrichtung der Anmerkungen sowie an Daniel Meyer, Nora Reichard und Alice Skinner für ihre Unterstützung beim Zusammenstellen und Kopieren.

Anmerkungen

Kapitel 1

1 »Kulisy, cele, metody, pieniądze. Jak działa inwazja LGBT«, TVPINFO, 10. Oktober 2019, https://www.tvp.info/44779437/kulisy-cele-metody-pieniadze-jak-dziala-inwazja-lgbt.

2 Marek Jędraszewski, Erzbischof von Krakau, zitiert in Filip Mazurczak, »Krakow's Archbishop Jędraszewski under Fire for Remarks about ›Rainbow Plague‹«, *Catholic World Report*, 16. August 2019, https://www.catholicworldreport.com/2019/08/16/krakows-archbishop-jedraszewski-under-fire-for-remarks-about-rainbow-plague.

3 Siehe unter anderem »Pierwszy film śledczy o tragedii smoleńskie«, 10. April 2010, https://www.youtube.com/watch?v=_RjaBrqoLmw; »Magazyn śledczy Anity Gargas«, TVP, 29. März 2018, https://vod.tvp.pl/video/magazyn-sledczy-anity-gargas,29032018,36323634; »Jak 8 lat po katastrofie wygląda Smoleńsk?«, TVPINFO, 5. April 2018, https://www.tvp.info/36677837/jak-8-lat-po-katastrofie-wyglada-smolensk-magazyn-sledczy-anity-gargas; »Magazyn śledczy Anity Gargas«, TVP, 27. Februar 2020, https://vod.tvp.pl/video/magazyn-sledczy-anity-gargas,27022020,46542067.

4 Rafał Ziemkiewicz, Post auf Twitter, https://twitter.com/R_A_Ziemkiewicz/status/637584669115072512?2=20.

5 Rafał Ziemkiewicz, Fakty Interia, 13. April 2018, https://fakty.interia.pl/opinie/ziemkiewicz/news-czy-izrael-jest-glupi,nId,2568878.

6 Rafał Ziemkiewicz, Wirtualne Media, 2. Februar 2018, https://www.wirtualnemedia.pl/artykul/rafal-ziemkiewicz-nie-mam-powodu-przepraszac-za-parchow-i-zydowskie-obozy-zaglady-marcin-wolski-dalsie-podejsc.

7 Juni 2016, https://wiadomosci.gazeta.pl/wiadomosci/1,114883,20191010,na-okladce-wprost-jasniejaca-twarz-lewandowskiego-czyli-jak.html.

8 5. September 2016, http://www.publio.pl/tygodnik-do-rzeczy,p147348.html.

9 Der Thinktank korrigierte die Geschichte später, aber TVP löschte sie nicht. TVP, 21. September 2016, https://www.tvp.info/27026877/

think-tank-w-waszyngtonie-po-tym-artykule-zwolnil-pania-applebaum-ze-wspolpracy.

10 Mihail Sebastian, *Journal 1935–1944: The Fascist Years* (Lanham, MD: Rowman & Littlefield, 2012).

11 Mihail Sebastian, *For Two Thousand Years* (New York: Other Press, 2017).

12 Platon, *Der Staat*, übers. v. Friedrich Schleiermacher. http://www.projekt-gutenberg.org/platon/platowr3/staat08.html.

13 Alexander Hamilton, John Jay und James Madison, *The Federalist Papers*, Nr. 68.

14 Hannah Arendt, *Elemente und Ursprünge totaler Herrschaft. Band 3: Totale Herrschaft*. (Frankfurt: Ullstein, 1975).

15 Gespräch der Autorin mit Karen Stenner, 19. Juli 2019.

16 Julien Benda, *La trahison des clercs* (Paris: Grasset, 1927). Deutsche Ausgabe: *Der Verrat der Intellektuellen* (München: Hanser, 1978).

Kapitel 2

17 Hannah Arendt, *Elemente und Ursprünge totaler Herrschaft. Band 3: Totale Herrschaft*. (Frankfurt: Ullstein, 1975).

18 Wladimir I. Lenin, »Resolutionsentwurf zur Pressefreiheit«, http://www. sites.google.com/site/sozialistischeklassiker2punkt0/lenin/lenin-1917/ wladimir-i-lenin-resolutionsentwurf-zur-pressefreiheit.

19 Ders., Rede auf der Eröffnungssitzung des Ersten Kongresses der Kommunistischen Internationale, 2. März 1919.

20 Ders., Rede auf dem Ersten Kongress der Kommunistischen Internationale, 14. März 1919.

21 »Kaczyński krytykuje donosicieli. Gorszy sort Polaków«, YouTube, 16. Dezember 2015, https://www.youtube.com/watch?v=SKFgVD2KGXw.

22 Gespräch der Autorin mit Jarosław Kurski, 2. April 2016.

23 Gespräch der Autorin mit anonymer Quelle, 4. April 2016.

24 Jacek Kurski, zitiert in Agnieszka Kublik, »Kłamczuszek Jacek Kurski«, Wyborcza.pl, 19. Mai 2015, https://wyborcza.pl/politykaekstra/1, 132907,17946914,Klamczuszek_Jacek_Kurski.html.

25 Gespräch der Autorin mit Senator Bogdan Borusewicz, 6. April 2016.

26 »›Ordynarna manipulacja‹ TVP Info«, *Wiadomosci*, 21. April 2018, https:// wiadomosci.wp.pl/czy-oni-ludzi-naprawde-maja-za-durni-ordynarna-manipulacja-tvp-info-6243821849708161a.

27 Jan Cienski, »Polish President Bucks Ruling Party over Judicial Reforms: During a Bad-Tempered Debate, Jarosław Kaczyński Accuses the Opposition of ›Murdering‹ His Brother«, *Politico*, 18. Juli 2017, https://www. politico.eu/article/polish-president-bucks-ruling-party-over-judicial-reforms.

28 Pablo Gorondi, Associated Press, 12. April 2018, https://apnews.com/6fc8
    ca916bdf4598857f58ec4af198b2/Hungary:-Pro-govt-weekly-prints-list-
    of-%27Soros-mercenaries%27.
29 Gespräch der Autorin mit Mária Schmidt, 14. November 2017.
30 Ivan Krastev und Stephen Holmes, »How Liberalism Became ›the God
    That Failed‹ in Eastern Europe«, *Guardian*, 24. Oktober 2019, https://
    www.theguardian.com/world/2019/oct/24/western-liberalism-failed-
    post-communist-eastern-europe.
31 Wladimir I. Lenin, »Bürgerliche und Proletarische Demokratie«, *Vpe-
    ryod* 11/3 (24. Januar 1905), http://www.sites.google.com/site/
    sozialistischeklassiker2punkt0/lenin/1918/wladimir-i-lenin-die-
    proletarische-revolution-und-der-renegat-kautsky/buergerliche-und-
    proletarische-demokratie.
32 Julien Benda, *La trahison des clercs.*

Kapitel 3

33 Gespräch der Autorin mit Stathis Kalyvas, 21. Juni 2018.
34 Evelyn Waugh, *Decline and Fall* (London: Chapman & Hall, 1928). Deut-
    sche Ausgabe: Verfall und Untergang (Zürich: Diogenes, 2017).
35 Boris Johnson, Interview mit Sue Lawley, Desert Island Discs, BBC,
    4. November 2005, https://www.bbc.co.uk/programmes/p00935b6.
36 Geoffrey Wheatcroft, »Not-So-Special Relationship: Dean Acheson and
    the Myth of Anglo-American Unity«, *Spectator,* 5. Januar 2013, https://
    www.spectator.co.uk/2013/01/not-so-special-relationship.
37 Graham Greene, *The Quiet American* (Melbourne: Heinemann, 1955).
    Deutsche Ausgabe: Der stille Amerikaner (Wien: Zsolnay, 1986).
38 Boris Johnson in James Pickford und George Parker, »Does Boris John-
    son Want to Be Prime Minister?«, *Financial Times,* 27. September 2013,
    https://www.ft.com/content/f5b6a84a-263c-11e3-8ef6-00144feab7de.
39 Ders., »Athenian Civilisation: The Glory That Endures«, Vortrag am
    Legatum Institute, 4. September 2014, https://www.youtube.com/
    watch?v=qeSjF2nNEHw.
40 Lizzy Buchan, »Boris Johnson ›Thought Brexit Would Lose, but Wanted to
    Be Romantic, Patriotic Hero‹, says David Cameron«, *Independent,* 16. Sep-
    tember 2019, https://www.independent.co.uk/news/uk/politics/boris-
    johnson-brexit-david-cameron-leave-remain-vote-support-a9107296.
    html.
41 Svetlana Boym, *The Future of Nostalgia* (New York: Basic Books, 2016).
42 Fritz Stern, *The Politics of Cultural Despair: A Study in the Rise of the Germanic
    Ideology* (Berkeley: University of California Press, 1961). Deutsche Aus-

gabe: Kulturpessimismus als politische Gefahr. Eine Analyse nationaler Ideologie in Deutschland. (Stuttgart: Klett-Cotta, 2015).

43 Julius Langbehn, *Rembrandt als Erzieher* (Leipzig: C. L. Hirschfeld, 1890).

44 Charles Moore, *Margaret Thatcher, The Authorized Biography, Vol. 3: Herself Alone* (London: Penguin Books, 2019).

45 Simon Heffer, »The Sooner the 1960s Are Over, the Better«, *Telegraph*, 7. Januar 2006, https://www.telegraph.co.uk/comment/personal-view/3622149/Simon-Heffer-on-Saturday.html.

46 Ders., »David Cameron Is Likely to Win, but Don't Expect a Conservative Government«, *Telegraph*, 28. Juli 2009, https://www.telegraph.co.uk/comment/columnists/simonheffer/5926966/David-Cameron-is-likely-to-win-but-dont-expect-a-Conservative-government.html.

47 Ders., »David Cameron's Disgraceful Dishonesty over the EU Is Turning Britain into a Banana Republic«, *Telegraph*, 21. Mai 2016, https://www.telegraph.co.uk/opinion/2016/05/21/david-camerons-disgraceful-dishonesty-over-the-eu-is-turning-bri/.

48 Roger Scruton, *England: An Elegy* (London: Pimlico, 2001).

49 William Cash, Interview mit Simon Walters, »Tory MP and Son of a War Hero Compares Current Situation to Pre-War Europe and Warns Britain Is Heading for Appeasement«, *Daily Mail*, 13. Februar 2016, https://www.dailymail.co.uk/news/article-3446036/Tory-MP-son-war-hero-compares-current-situation-pre-war-Europe-warns-Britain-heading-APPEASEMENT.html.

50 Simon Heffer, »The EU Empire Is Going to Fail. On Thursday, We Can Protect Britain from the Chaos of Its Death Throes«, *Telegraph*, 18. Juni 2016, https://www.telegraph.co.uk/news/2016/06/19/the-eu-empire-is-going-to-fail-on-thursday-we-can-protect-britai/.

51 Dominic Cummings, »On the Referendum #33: High Performance Government, ›Cognitive Technologies‹, Michael Nielsen, Bret Victor, & ›Seeing Rooms‹«, Dominic Cummings' Blog, 26. Juni 2019, https://dominiccummings.com/2019/06/26/on-the-referendum-33-high-performance-government-cognitive-technologies-michael-nielsen-bret-victor-seeing-rooms.

52 Ebd.

53 Bagehot, »An Interview with Dominic Cummings«, *Economist*, 21. Januar 2016, https://www.economist.com/bagehots-notebook/2016/01/21/an-interview-with-dominic-cummings.

54 Simon Heffer, »The Collapse of the Euro Would Open the Door to Democracy«, *Telegraph*, 25. Mai 2010, https://www.telegraph.co.uk/comment/columnists/simonheffer/7765275The-collapse-of-the-euro-would-open-the-door-to-democracy.html.

55 »Brexit Brief: Dreaming of Sovereignty«, *Economist*, 19. März 2016, https://www.economist.com/britain/2016/03/19/dreaming-of-sovereignty.

56 *Daily Mail*, 3. November 2016.

57 James Slack, »Enemies of the People: Fury over ›Out of Touch‹ Judges Who Have ›Declared War on Democracy‹ by Defying 17.4 m Brexit Voters and Who Could Trigger Constitutional Crisis«, *Daily Mail,* 3. November 2016, https://www.dailymail.co.uk/news/article-3903436/Enemies-people-Fury-touch-judges-defied-17-4 m-Brexit-voters-trigger-constitutional-crisis.html.

58 *Daily Mail,* 19. April 2017, https://www.dailymail.co.uk/debate/article-4427192/DAILY-MAIL-COMMENT-saboteurs-simmer-down.html.

59 Simon Heffer, »The EU Empire Is Going to Fail. On Thursday, We Can Protect Britain from the Chaos of Its Death Throes«, *Telegraph,* 18. Juni 2016, https://www.telegraph.co.uk/news/2016/06/19/the-eu-empire-is-going-to-fail-on-thursday-we-can-protect-britai/.

60 »British Workers ›Among Worst Idlers‹, Suggest Tory MPs«, BBC, 18. August 2012, https://www.bbc.com/news/uk-politics-19300051.

61 Boris Johnson, »The Rest of the World Believes in Britain. It's Time That We Did Too«, *Telegraph,* 15. Juli 2018, https://www.telegraph.co.uk/politics/2018/07/15/rest-world-believes-britain-time-did.

62 Gespräch der Autorin mit Nick Cohen, März 2020; Nick Cohen, »Why Are Labour's Leaders So Quiet on Europe? Maybe It's the Lure of Disaster?«, *Guardian,* 16. Dezember 2018, https://www.theguardian.com/commentisfree/2018/dec/16/why-are-labour-party-leaders-so-quiet-on-europe---maybe-it-is-the-lure-of-disaster.

63 Thomas Fazi und William Mitchell, »Why the Left Should Embrace Brexit«, *Jacobin,* 29. April 2018, https://www.jacobinmag.com/2018/04/brexit-labour-party-socialist-left-corbyn.

64 Anne Applebaum, »How Viktor Orbán Duped the Brexiteers«, *Spectator USA,* 22. September 2018, https://spectator.us/viktor-orban-duped-brexiteers.

65 John O'Sullivan, *The Second Term of Viktor Orbán: Beyond Prejudice and Enthusiasm* (Social Affairs Unit, June 2015).

66 Christopher Caldwell, »Hungary and the Future of Europe. Viktor Orbán's Escalating Conflict with Liberalism«, *Claremont Review of Books,* Spring 2019, https://claremontreviewofbooks.com/hungary-and-the-future-of-europe.

67 Gespräch der Autorin mit John O'Sullivan, 4. Oktober 2019.

68 Robert Merrick, »Fury as Boris Johnson Accuses Rebel Alliance MPs of ›Collaboration‹ with Foreign Governments over Brexit«, *Independent,* 1. Oktober 2019, https://www.independent.co.uk/news/uk/politics/boris-johnson-brexit-no-deal-latest-news-legal-advice-collusion-a9127781.html.

69 The Conservative and Unionist Party Manifesto 2019, https://assets-global.website-files.com/5da42e2cae7ebd3f8bde353c/5dda924905da587992a064ba_Conservative%202019 %20Manifesto.pdf.

70 Rajeev Syal, »Dominic Cummings Calls for ›Weirdos and Misfits‹ for

No 10 Jobs: Boris Johnson's Chief Adviser Touts for ›Unusual‹ Applicants Outside of the Oxbridge Set«, *Guardian,* 2. Januar 2020, https://www. theguardian.com/politics/2020/jan/02/dominic-cummings-calls-for-weirdos-and-misfits-for-no-10-jobs.

71 Dean Acheson, Rede in West Point, 5. Dezember 1962.

Kapitel 4

72 Gespräch der Autorin mit Karen Stenner, 19. Juli 2019.

73 Jean-François Revel, *The Totalitarian Temptation* (New York: Penguin Books, 1978).

74 Isaiah Berlin, *Four Essays on Liberty* (Oxford: Oxford University Press, 1992). Deutsche Ausgabe: Freiheit. Vier Versuche (Frankfurt: S. Fischer, 1995).

75 Olga Tokarczuk, Nobelpreisrede, Stockholm, 7. Dezember 2019, https:// www.nobelprize.org/prizes/literature/2018/tokarczuk/lecture.

76 »Un nuevo comienzo«, VOX, 7. Juni 2016, https://www.youtube.com/ watch?v=RaSIX4-RPAI.

77 Ortega Smith, zitiert in Anne Applebaum. »Want to build a far-right movement? Spain's VOX party shows how«, *Washington Post,* 2. Mai 2019, https://www.washingtonpost.com/graphics/2019/opinions/spains-far-right-vox-party-shot-from-social-media-into-parliament-overnight-how.

78 #EspañaViva: Santiago Abascal, Twitter, https://twitter.com/Santi_ ABASCAL/status/1062842722791424002?s=20.

79 Applebaum, »Want to build a far-right movement?«

80 Gespräch der Autorin mit Rafael Bardají.

81 Gespräch der Autorin mit Iván Espinosa, 9. April 2019.

82 Institute for Strategic Dialogue, 2019 EU Elections Information Operations Analysis: Interim Briefing Paper (2019).

83 Santiago Abascal, Post auf Twitter, https://twitter.com/Santi_ABASCAL/ status/1117890168340586497.

84 Marion Maréchal, in Anne Applebaum, »This Is How Reaganism and Thatcherism End«, *Atlantic,* 10. Februar 2020, https://www.theatlantic. com/ideas/archive/2020/02/the-sad-path-from-reaganism-to-national-conservatism/606304.

85 »Discours du Président Emmanuel Macron devant les étudiants de l'Université Jagellonne de Cracovie«, https://www.elysee.fr/emmanuel-macron/2020/02/05/discours-du-president-emmanuel-macron-devant-les-etudiants-de-luniversite-jagellonne-de-cracovie.

Kapitel 5

86 Abraham Lincoln, Annual Message to Congress, 1. Dezember 1862.

87 Rev. Martin Luther King Jr., »I Have a Dream«, Washington, 28. August 1963.

88 Thomas Jefferson, Brief an John Breckinridge, 29. Januar 1800, https://founders.archives.gov/documents/Jefferson/01-31-02-0292.

89 Ronald Reagan, »Farewell Address to American People«, Washington, 12. Januar 1989, https://www.nytimes.com/1989/01/12/news/transcript-of-reagan-s-farewell-address-to-american-people.html.

90 Emma Goldman, *Anarchism and Other Essays* (New York: Mother Earth Publishing Association, 3. Ausgabe, 1917).

91 Dies., »What Is Patriotism?«, 26. April 1908, San Francisco, California, https://awpc.cattcenter.iastate.edu/2017/03/09/what-is-patriotism-april-26-1908.

92 Goldman, *Anarchism and Other Essays.*

93 Prairie Fire. The Politics of Revolutionary Anti-Imperialism – Political Statement of the Weather Underground, 1974, https://www.sds-1960s.org/PrairieFire-reprint.pdf.

94 Howard Zinn, »The Power and the Glory. Myths of American exceptionalism«, *Boston Review,* 1. Juni 2005, http://bostonreview.net/zinn-power-glory.

95 Michael Gerson, »The Last Temptation«, *The Atlantic,* April 2018, https://www.theatlantic.com/magazine/archive/2018/04/the-last-temptation/554066.

96 Eric Metaxas, Interview mit Mike Gallagher, 22. Juni 2016, https://www.rightwingwatch.org/post/eric-metaxas-we-are-on-the-verge-of-losing-america-under-clinton-presidency-as-we-could-have-lost-it-in-the-civil-war.

97 Brian Tashman, »Franklin Graham: ›The End Is Coming‹, Thanks to Gays, Obama«, *Right Wing Watch,* 8. Juni 2015, https://www.rightwingwatch.org/post/franklin-graham-the-end-is-coming-thanks-to-gays-obama.

98 Patrick J. Buchanan, Website, 11. Oktober 1999, https://buchanan.org/blog/pjb-the-new-patriotism-329.

99 Ders., Website, 26. Mai 2016, https://buchanan.org/blog/great-white-hope-125286.

100 Ders., *Hardball,* 30. September 2002.

101 Ders., »How to Avoid a New Cold War«, *American Conservative,* 3. Januar 2017, https://www.theamericanconservative.com/buchanan/how-to-avoid-a-new-cold-war.

102 Donald Trump, Interview, Fox and Friends, Fox News, 10. Februar 2014, https://video.foxnews.com/v/3179604851001#sp=show-clips.

103 Paul Blumenthal und J. M. Rieger. »Steve Bannon Believes The Apocalypse

Is Coming And War Is Inevitable«, HuffPost, 8. Februar 2017, https://www.huffpost.com/entry/steve-bannon-apocalypse_n_5898f02ee4b040 613138a951.

104 Steve Bannon, Rede, Tax Day Tea Party, New York, 15. April 2010, https://www.youtube.com/watch?v=Jf_Yj5XxUE0.

105 Donald J. Trump, The Inaugural Address, Washington, 20. Januar 2017, https://www.whitehouse.gov/briefings-statements/the-inaugural-address.

106 Ders., »Remarks by President Trump to the People of Poland«, Warschau, 6. Juli 2017, https://www.whitehouse.gov/briefings-statements/remarks-president-trump-people-poland.

107 Ders., Interview mit Bill O'Reilly, Fox Sports, 4. Februar 2017, https://www.youtube.com/watch?v=tZXsYuJIGTg.

108 Ders., Interview mit Joe Scarborough, Morning Joe, 18. Dezember 2015, https://www.washingtonpost.com/news/the-fix/wp/2015/12/18/donald-trump-glad-to-be-endorsed-by-russias-top-journalist-murderer.

109 Prairie Fire.

110 Donald J. Trump, Interview, Fox and Friends, Fox News, 26. April 2018, https://www.youtube.com/watch?v=5OjyHhz3_BM.

111 Jeane Kirkpatrick, »The Myth of Moral Equivalence«, Imprimis, Januar 1986, https://imprimis.hillsdale.edu/the-myth-of-moral-equivalence.

112 Donald J. Trump und Dave Shiflett, The America We Deserve (New York: St. Martin's Press, 2000).

113 James Atlas, »The Counter Counterculture«, New York Times Magazine, 12. Februar 1995, https://www.nytimes.com/1995/02/12/magazine/the-counter-counterculture.html.

114 David Brock »Confessions of a Right-Wing Hit Man«, Esquire, 1. Juli 1997, https://classic.esquire.com/confessions-of-a-right-wing-hit-man.

115 Anne Applebaum, »Why I Can't Vote for John McCain«, Slate, 27. Oktober 2008.

116 Sam Tanenhaus, »On the Front Lines of the GOP's Civil War«, Esquire, 20. Dezember 2017, https://www.esquire.com/news-politics/a14428464/gop-never-trump.

117 Vorwort zu Julien Benda, The Treason of the Intellectuals (London: Taylor & Francis, 2017).

118 Roger Kimball, »The Treason of the Intellectuals & ›The Undoing of Thought‹«, New Criterion, Dezember 1992, https://newcriterion.com/issues/1992/12/the-treason-of-the-intellectuals-ldquothe-undoing-of-thoughtrdquo.

119 Roger Kimball, American Greatness, 2. November 2019.

120 Anne Applebaum, The Laura Ingraham Show, 19. August 2008, http://www.lauraingraham.com/b/Anne-Applebaum-on-the-return-of-the-Soviet-Union/5995.html.

121 Laura Ingraham, Interview mit Pat Buchanan, The Laura Ingraham

Show, 28. März 2019, https://www.mediamatters.org/laura-ingraham/
laura-ingraham-says-immigration-pushing-western-civilization-toward-
tipping-over.

122 Dies., »The Left's Effort to Remake America«, Fox News, 8. August 2018,
https://www.youtube.com/watch?v=llhFZOw6Sss.

123 Joseph diGenova, The Laura Ingraham Podcast, 22. Februar 2019.

124 Rafael Bardají, in Anne Applebaum, »Want to build a far-right movement?
Spain's VOX party shows how«, Washington Post, 2. Mai 2019, https://
www.washingtonpost.com/graphics/2019/opinions/spains-far-right-
vox-party-shot-from-social-media-into-parliament-overnight-how.

125 Laura Ingraham, Fox News, 25. Februar 2020, https://twitter.com/
MattGertz/status/1233026012201603079?=20.

126 Michael M. Grynbaum, »Fox News Stars Trumpeted a Malaria Drug, Until
They Didn't«, New York Times, 22. April 2020.

127 Laura Ingraham, Post auf Twitter, https://twitter.com/IngrahamAngle/
status/1251219755249405959?s=20.

128 Dies., »Laura Ingraham on Faith«, Vortrag, Dallas, Texas, 29. September
2007, https://www.youtube.com/watch?v=72KwL_abkOA.

129 Donald J. Trump, Interview mit Laura Ingraham, Fox News, 6. Juni 2019,
https://www.youtube.com/watch?v=QyQCcgXkANo.

130 Jacek Trznadel, Hańba domowa (Paris: Instytut Literacki, 1986).

Kapitel 6

131 Émile Zola, »J'accuse«, L'Aurore, 13. Januar 1898.

132 Romain Rolland, zitiert in Tom Conner, The Dreyfus Affair and the Rise of
the French Public Intellectual (Jefferson, NC: McFarland & Co., 2014).

133 Ferdinand Brunetière, »After the Trial«, zitiert in Ruth Harris, Dreyfus:
Politics, Emotion, and the Scandal of the Century (New York: Picador USA,
2011).

134 Zola, »J'accuse« (1898).

135 Marcel Proust, A la recherche du temps perdu (Paris: 1913-1927).

136 Zitiert in Geert Mak, In Europe: Travels Through the Twentieth Century (London: Penguin Books, 2004). Deutsche Ausgabe: In Europa. Eine Reise
durch das 20. Jahrhundert (München: Siedler, 2005).

137 Conner, Dreyfus Affair.

138 Ignazio Silone, »La scelta dei compagni«. Associazione Italiana per la libertà
della cultura, 1954.

Register

11. September 2001 46, 129, 152, 162

Abascal, Santiago 122, 125 f., 130 f., 133, 140
Acheson, Dean 108
Action française 177
Adamowicz, Paweł 42, 94
Adams, John 22
Adorno, Theodor W. 23
Alger, Horatio 144
Alt-Right(-Bewegung) 16, 57, 140, 174, 185
Alto Data Analytics 135 ff., 139
American Enterprise Institute (Thinktank) 128 f.
Anarchie 186
Antikommunismus 35, 54, 86, 162
Antisemitismus 18, 26, 56, 104, 111, 174
Apartheid 31 f.
Apocalypse Now (Film, F. F. Coppola) 74
Arendt, Hannah 22 ff., 39
Aristokratie 29
Aristoteles 29
Atlas, James 160 f.
Auf der Suche nach der verlorenen Zeit (M. Proust) 176
Auschwitz 14
Autokratie/Autokraten 24, 29, 158
autoritäre Veranlagung 23, 110
Autoritarismus 23, 25, 56, 61 f., 100, 188
Aznar, José María 127–130

Bannon, Steve 57, 131, 154 f.
Bardají, Rafael 127–133, 154, 168
Barrès, Maurice 59
BBC 41, 67, 108, 114 f.
Ben Ali, Zine el-Abidine 32
Benda, Julien 24 f., 59, 90, 164, 177, 187
Berkman, Alexander 148
Berlin, Isaiah 113 f.
Bielecka, Ania 15 f., 85, 170
Bildt, Carl 180
Black, Conrad 68, 83, 105
Blair, Tony 84, 86, 129
Blum, Léon 176
Borusewicz, Bogdan 37, 40
Boym, Svetlana 79
Brasilien 112, 137
Breitbart News 56
Brexit 67, 75–78, 82, 86, 89–98, 106 ff., 119, 179
Brexit Party 98 f.
Brock, David 160 f., 163
Brooks, David 160, 163
Buchanan, Pat(rick) 151 ff., 159, 166 f.
Bullingdon Club 65 ff.
Burke, Edmund 27, 90
Bush, George H. W. 83
Bush, George W. 129, 150, 163

Caesar, Gaius Iulius 24
Caldwell, Christopher 102
Cambridge Analytica 93
Cameron, David 66, 76, 86
Čaputová, Zuzana 182
Caran d'Ache 176

Cash, William 89
Charles, Prince of Wales 66
Chávez, Hugo 32
Chile 31
China 29, 72, 88
Chobielin (Landgut) 9, 11, 17
Chomsky, Noam 152
Churchill, Winston 86, 89, 106
Cicero, Marcus Tullius 22, 28
Ciudadanos (span. Partei) 124
Claremont Review of Books 102
Clemenceau, Georges 177
clercs 25 ff., 32, 44, 59, 90, 92, 121,
    138, 160, 174, 177 f., 186
Clinton, Bill 160
Clinton, Hillary 151
Conner, Tom 177
Corbyn, Jeremy 26, 97
Corona-Pandemie 20, 53, 103, 108,
    168 f., 184
Cox, Jo 94
Crittenden, Danielle 160 f.
Cummings, Dominic 91 ff., 106, 108,
    117

D'Souza, Dinesh 160, 163
Daily Mail (brit. Boulevardblatt) 95 f.
Daily Telegraph (brit. Tageszeitung)
    67 f., 71
Danube Institute (ungar. Thinktank)
    101, 103 f., 140
Demokratie(n) 21 f., 29, 56, 61, 65,
    69 f., 72, 95, 99, 108, 113 f., 116,
    121, 123, 153, 158 f., 166, 188
    amerikanische – 146, 150, 154,
    156, 162, 169
    Auswüchse der – 22
    bourgeoise – 31, 58
    Dämmerung der – 186
    europäische – 61
    freiheitliche – 62 f., 132, 144, 189
    neue/junge – 71, 166
    Niedergang der – 24 f.
    repräsentative – 26, 31

Rettung der – 94
Verachtung der – 118 f.
    westliche – 26, 29, 56
Demokratische Partei (USA) 55, 58,
    129, 166
Deutschland 14, 30 f., 57 f., 70 f., 111,
    185
Diana, Princess of Wales (Lady Di)
    65 f.
diGenova, Joseph 168
Diktatur 63, 113, 159, 162
    Franco- 123
    weiche – 32
Do Rzeczy (poln. Zeitschrift) 18
Dreyfus-Affäre 173–178
Dreyfus, Alfred 173–178
Drumont, Édouard 175
Dulkiewicz, Aleksandra 42
Duterte, Rodrigo 33
Dylan, Bob 154

Egalismus 188
Einparteienstaat 29–34, 43, 51, 54,
    102, 123
Elite(n) 24 f., 29 f., 32, 36, 46, 51,
    63 f., 90, 105 f., 175, 187
England *siehe* Großbritannien
England: An Elegy (R. Scruton) 86 f.
»Englishness« 91
Erster Weltkrieg 82, 176
Espinosa, Iván 130 f.
Esquire (US-Männermagazin) 163 f.
ETA (span. Terrorgruppe) 131
Europa 20, 33, 45, 63, 69, 73, 77, 73,
    84 f., 88 f., 92, 108, 111 f., 114,
    129, 134, 140, 146, 166, 182
Europäische Union (EU) 10, 20, 27,
    34, 53, 67, 71, 73, 75–78, 84,
    88–96, 120, 134 f., 181

Falklandinseln 69
Farage, Nigel 90, 92 f., 185
Faschismus 19, 25, 43, 175
Faulkner, William 124

Fidesz (Ungarischer Bürgerbund) 33, 53, 57, 105
Figyelő (ungar. Zeitschrift) 54
Financial Times 58
Flugzeugabsturz von Smolensk siehe Smolensk
Flynn, Michael 132
Fox News 156, 169 ff.
    Fox and Friends 157
Franco, Francisco 31, 123 f., 130, 133, 179
Frankreich 12, 29, 70 f., 142, 146, 173, 176-179, 185
Freud, Sigmund 23
Frick, Henry Clay 148
Frum, David 160, 163 f.

Gargas, Anita (Journalistin) 16 f., 45
Gazeta Polska (poln. Wochenzeitschrift) 14, 17
Gazeta Wyborcza (poln. Tageszeitung) 36, 38, 41
Gelbwesten (Frankreich) 178
Gerson, Michael 150
gilets jaunes siehe Gelbwesten
Goldman, Emma 147 f., 177
Goss, Janina 33
Gove, Michael 92, 95
Graham, Billy 151
Graham, Franklin 151
Greenblatt, Jason 132
Greene, Graham 72
Griechenland 22, 62 f., 65
Griechischer Bürgerkrieg 62
Grieve, Dominic 106 f.
Großbritannien 12, 27, 30, 70 ff., 75, 77 f., 82, 84 ff., 88-97, 99, 106 ff., 111, 115, 179, 185
    England 69 f., 84, 87, 89 ff., 94, 97, 106, 179
    Schottland 84, 89
    Wales 84, 89
Guinness, Alec 68
Der Gulag (A. Applebaum) 163

Hamilton, Alexander 22, 28
Hannan, Daniel 99
Haus des Terrors siehe Terror Háza
Havel, Václav 189
Heffer, Simon 84 ff., 88 ff., 92, 94, 96
Heisler, András 55
Hitler, Adolf 25, 32, 115, 177
Hitze und Staub (Film, J. Ivory) 65
Holocaust 14, 16
Hóman, Bálint 55
Hussein, Saddam 129, 169

Independent Women's Quarterly (Journal) 161
Indien 69, 112
InfoWars (Verschwörungswebsite) 41
Ingraham, Laura 161, 165–172, 185
Institute for Strategic Dialogue (ISD) 136 f., 139
Internet 27, 110, 116 ff., 120, 135, 166
Internetseiten (konspirative) 137–140
IRA (Irisch-Republikanische Armee) 70
Irland 78, 96
    Nordirland 78, 84, 89, 96, 107
    Republik Irland 78
Island 118
Isolationismus 152, 159
Italien 12, 33, 118, 137, 185, 188
Südtirol 134

»J'accuse« (offener Brief, É. Zola) 176 f.
Jacobin (linke Zeitschrift) 98
James, Clive 68
Jeanne d'Arc siehe Johanna von Orléans
Jefferson, Thomas 22, 146, 157, 159, 189
Jelzin, Boris 11
Johanna von Orléans 177 f.
Johannes Paul II. (Papst) 15, 140

Johnson, Boris 65–68, 71, 73–77, 89, 91 f., 97, 99, 106 ff.
Jugoslawien, ehemaliges 61, 111, 164

Kaczyński, Jarosław 16, 33 ff., 38 f., 41 f., 47 ff., 58
Kaczyński, Lech 17, 39, 46, 48 f.
Kalter Krieg 82, 114, 129, 161 f.
Kalyvas, Stathis 62
Kapitalismus 31, 88, 112, 147, 150
Katyń (Massaker von) 46
Katyń (Film, A. Wajda) 47
Kimball, Roger 160 f., 163 ff.
King, Martin Luther 145
Kirkpatrick, Jeane 158
Kleiner, Flavia 182
Koestler, Arthur 43
Kommunismus 15, 35, 37 f., 43, 51, 69, 72, 82 f.
Konservatismus 12, 27, 39, 161 f., 166, 178
Kopernikus, Nikolaus 154
Korruption 32 f., 56, 58, 157
Krastev, Ivan 56
Kristol, Bill 160 f., 163
Ku-Klux-Klan 153, 159
Kulturpessimismus 81 f., 87, 92, 144, 151 f., 159
Kurska, Anna 36 f.
Kurski, Jacek 36–43, 55, 61, 185
Kurski, Jarosław 36–41, 61
Kwaśniewski, Aleksander 129

Labour Party 26, 84 f.
Langbehn, Julius 81 f., 86, 174
Le Pen, Marine 141, 178
Lega Nord 135
Lenin, Wladimir Iljitsch 29–32, 57 f., 149, 154
Marxismus 25, 29, 147, 149
LGBT (G-Bewegung) 15, 166
Liberalismus 188 f.
La Libre Parole (franz. Zeitung) 175

Lincoln, Abraham 145
Linke(n), Die 25 f., 57, 83, 98, 147, 149 f., 152, 154, 166, 180
    extreme/radikale – 25, 31, 64, 153, 156 f.
    kulturelle – 27, 57
    protektionistische – 70

Macierewicz, Antoni 49 f.
Macmillan, Harold 72
Macron, Emmanuel 141 f., 178
Maduro, Nicolás 136
Major, John 83, 85, 130
Maliqi, Agon 182
Maréchal-Le Pen, Marion 141 f., 178
Marktwirtschaft 34, 65, 69, 84
Maurras, Charles 177 f.
May, Theresa 77 f., 99
McCain, John 12, 129, 163
McMaster, H. R. 132
McVeigh, Timothy 153
Medien 32, 48, 50, 119 f., 126, 142 f.
    neutrale – 31
    Print- 116
    private – 53
    soziale – siehe soziale Medien
    unabhängige – 108
    ungarische – 103 ff.
    westliche – 56
Merkel, Angela 57, 110
Metaxas, Eric 150 f.
Mill, John Stuart 189
Miller, Stephen 155
Mitsotakis, Kyriakos 63
Monarchie 29
Moore, Charles 84
Murdoch, Rupert 105
Mussolini, Benito 134

Naím, Moisés 64
National Review (US-Zeitschrift) 101
Nationalismus 122 f., 125, 141, 159, 179
    englischer – 70 f., 91

Nationalsozialismus 31, 52, 175
NATO 120, 128, 132, 158
Nelson, Fraser 100
Netanjahu, Benjamin 14, 132
New Atlantic Initiative 128
New Criterion (US-Kulturzeitschrift) 161
New York Times 163
New York Times Magazine 160
Nihilismus 156, 188
Nostalgie/Nostalgiker 79, 84, 90 ff., 113
  reflexive – 79, 84, 87
  restaurative – 79 ff., 92, 127, 154, 182

O'Reilly, Bill 156
O'Sullivan, John 91, 101–106, 129 f., 140
Obama, Barack 44, 48, 55, 57, 151, 153, 168
Oligarchie 29 f., 63
Orbán, Viktor 33 ff., 53, 57 ff., 99, 102–105, 142 f., 185
Orwell, George 43
Österreich 33

Palin, Sarah 163
Partido Popular (span. Volkspartei) 123, 127, 130
Partido Socialista (span. Volkspartei) 123
Patriotismus 123, 142, 146 ff., 175, 177, 182
Philippinen 33, 112
Pinochet, Augusto 31
Piotrowicz, Stanisław 35
PiS (Partei: Prawo i Sprawiedliwość) 12–18, 33, 35, 38, 41, 43, 47, 49 f., 53, 64, 99, 118, 134, 184
Platforma Obywatelska (poln. Bürgerplattform) 17
Platon 21, 29
Podemos (span. Partei) 124, 134

Podhoretz, John 160
Polen 10 ff., 14 f., 17, 20, 30, 33 ff., 37 f., 40, 42, 44 ff., 51, 63, 65, 68, 108, 111, 119, 161, 171, 178 ff., 183 f.
Powell, Enoch 68 f.
Pressefreiheit 31
Die Protokolle der Weisen von Zion 49
Proust, Marcel 19, 176 f.
Putin, Wladimir 33, 46, 152 f., 156, 158

QAnon(-Netzwerk) 138, 174

Radio Maryja 17
Rasmussen, Anders Fogh 129
Rassemblement National 174
Rassismus 103, 149 f.
Reagan, Ronald 140, 146, 158, 160 f.
Rechte(n), Die 10, 25 f., 134, 163, 180
  amerikanische– 131
  christliche – 150, 154
  europäische – 140
  extreme/radikale – 25, 31, 63 f., 153, 156 f.
  französische – 134
  neue – 27
  polnische – 36, 40
Reform Party (USA) 151
Rembrandt als Erzieher (J. Langbehn) 81 f.
Republikanische Partei/Republikaner (USA) 26, 151, 160, 163, 168
Revel, Jean-François 112
Revolution(en) 20, 63, 94, 108 ff., 113, 149, 182
  demokratische – 161
  Informations- 116
  Kommunikations- 114 f.
Rieu, Damien 140
Roberts, Andrew 89
Rockefeller, John D. Jr. 148
Rolland, Romain 174

Romney, Mitt 165
Roof, Dylann 153
Rote Armee 9, 64
Roter Hunger (A. Applebaum) 164
Rowland, Robert 98
RT (russ. TV-Sender) 138
Rumänien 19
Russland 29, 33, 50, 58, 72, 148, 152 f., 156, 158, 166

Salvini, Matteo 135, 141
Saturday Night Live (US-Comedy-Show) 55
Scarborough, Joe 156
»La scelta dei compagni« (Aufsatz v. I. Silone) 187
Schetyna, Grzegorz 42 f.
Schmidt, Mária 51, 53–60, 62, 104, 112, 185
Schweiz 182
Scruton, Roger 86 ff., 90, 92, 99
Sebastian, Mihail 19 ff.
Serbien 118
Shakespeare, William 39
Sikorski, Radek 9 f., 12, 18 f., 46, 48, 65 ff., 128, 180, 183 f.
Silone, Ignazio 187 f.
Smolensk (Flugzeugabsturz bei) 15 f., 45, 47–51, 134
Snyder, Timothy (Historiker) 44
Solidarność (Gewerkschaftsbewe-gung) 37
Solidarność (Oppositionszeitung) 37
Soros, George 45, 53 ff., 57 ff., 80, 138
soziale Medien 19, 110, 117, 126
Spanien 12, 31, 122–128, 130–134, 136, 138
    Katalonien 124, 133 f.
Spectator (brit. Zeitschrift) 68 f., 84 f., 91, 100, 161
Sputnik (russ. Zeitschrift) 138
Stalin, Josef 46, 115
    Großer Terror 25

Stendhal 39
Stenner, Karen (Verhaltensökonomin) 23, 110, 113, 119 f.
Stern, Fritz (Historiker) 80 ff.
Der stille Amerikaner (G. Greene) 72
Südafrika 31 f.
Sunday Telegraph (brit. Sonntagszei-tung) 68
Századvég-Stiftung 100

Tanenhaus, Sam 163 f.
Telewizja Polska (TVP) 41 f.
Terror Háza (Haus des Terrors, Buda-pest) 52, 58
Thalamas, Amédée 177
Thatcher, Margaret 10, 69 f., 82 ff., 91, 98 f., 101, 130
Thomas, Clarence 161
The Times (Londoner Tageszeitung) 74, 89
Tocqueville, Alexis de 146
Tokarczuk, Olga 120
Tory Party/Tories 26, 68, 76 f., 82, 84, 86, 90, 129, 132
Die totalitäre Versuchung (J.-F. Revel) 112
Totalitarismus 22, 31, 162
La trahison des clercs (J. Benda) 24, 164
Trotzki, Leo 154
Trump, Donald 20, 44, 48, 58, 118, 122, 131 ff., 154–160, 163 ff., 167–171, 178
Trznadel, Jacek 171
Tunesien 32
Türkei 93
Tusk, Donald 40, 47
Tyrannei 21 f., 29, 144, 186

UK Independence Party (UKIP) 90, 92 f., 99 f.
UKIP *siehe* UK Independence Party
Ukraine 104, 181
Ungarn 12, 33 ff., 45, 51 f., 55–59,

65, 100–103, 105, 108, 111 f.,
142 f.

Venezuela 29, 32, 64 f., 136
Vereinigte Staaten 12, 14, 20–23, 27,
    30, 45 f., 55, 71 ff., 84, 88, 104,
    108, 111 f., 114, 127 ff., 131, 138,
    144–159, 162, 166 ff., 170 ff.,
    178 f., 185 f.
    Wahlmännergremium 21 f.
Verfall und Untergang (E. Waugh) 66
Der Verrat der Intellektuellen (J. Benda)
    24
Verschwörung(en) 38, 40
    jüdische – 45
    Smolensk- 45, 50 f., 80
    -stheorie(n) 16 f., 19, 27, 44 f.,
    48 f., 51, 80, 113, 116, 119, 138 f.,
    174
Vichy-Regime 134, 177 f.
Vox (span. Partei) 122 f., 125 ff.,
    131–134, 136–141, 179, 182,
    185

Wajda, Andrzej 47
Wałęsa, Lech 37 f., 40

Wall Street Journal 160
Walsin-Esterházy, Ferdinand 173
Warschauer Ghetto (Aufstand) 155
Warschauer Pakt 32
Washington Post 55
Watson, Paul Joseph 140
Watson, Tom 97 f.
Waugh, Auberon 68
Waugh, Evelyn 65 ff.
Weathermen (Weather Underground
    Organization) 148 f., 154, 157
Weekly Standard (US-Wochen-
    magazin) 161
»Whataboutism« 104 f.
Wiedersehen mit Brideshead (E. Waugh)
    65
wSieci (poln. Zeitschrift) 18

Yiannopoulos, Milo 57

Ziemkiewicz, Rafał 17
Zinn, Howard (Historiker) 149 f.
Zola, Émile 176
Zuwanderung/Zuwanderer 15, 20,
    56, 111 f., 135 ff., 166 f., 170 f.
Zweiter Weltkrieg 26 f., 70, 89 f.